D0835698

à Hugues,

Cette magnifique référence

sur les vins

des Hospices de Beaune.

EX-LIBRIS

ST·PIERRE

PIERRE VENDETTE

LES AUTEURS

DOMINIQUE BRUILLOT
(direction d'ouvrage)
Rédacteur en chef et créateur, avec
les éditions Freeway, de Bourgogne Magazine.
Bressan d'origine, Beaunois d'adoption, il cultive
une vision de la Bourgogne au sens large
du terme, avec le soin de préserver les acquis
et le prestige de cette région, tout en favorisant
la redécouverte de "pays" moins connus que
les vedettes de la Bourgogne viticole.
Avec "Beaune et ses Hospices", l'occasion lui
a été donnée de passer au crible une ville pour
laquelle il s'est réellement pris de passion.

ALAIN ROELS
Une grande expérience de la presse parisienne,
un parcours qui lui a permis de côtoyer diversement
les gens de télé, de radio, et, surtout, un retour
aux sources : il est en effet revenu dans son cher
Morvan qu'il rêvait de retrouver depuis longtemps.
Collaborateur de Bourgogne Magazine, auteur
de plusieurs ouvrages, c'est aussi un ardent partisan
de la Bourgogne multiple, passionné par l'histoire
de cette dernière. Rien ne pouvait le combler
davantage que les coulisses de l'Hôtel-Dieu,.

LES PHOTOGRAPHES

MICHEL JOLY
On peut, tout au long de l'année,
apprécier la qualité de ses travaux
dans la revue Bourgogne Magazine
dont il est le photographe attitré.
Doué d'une grande sensibilité, son sens
du contact avec les gens qu'il immortalise
se traduit par un regard très chaleureux,
qui brise le carcan des traditions trop ancrées
pour révéler le vrai sens de la vie.
Avec "Beaune et ses Hospices", il apporte
un regard neuf sur un site qui, pourtant,
est l'un des plus visités en France.

CHRISTOPHE CAMUS
Architecte de formation,
photographe par passion,
il joue sur les deux tableaux
avec un compas dans l'œil
et les notions architecturales pour lui.
Il a assisté Michel Joly dans la réalisation
de ce livre, notamment
pour les plans extérieurs de la ville.

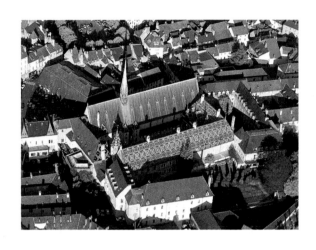

Beaune et ses Hospices

Un lieu, une ville, deux gloires

Demandez à un visiteur étranger de vous définir, avec un accent à couper au couteau, ce qu'évoque en lui la France, et vous comprendrez : juste après avoir évacué le cas de la tour Eiffel, œuvre magistrale d'un Bourguignon, il y a fort à parier qu'il vous citera, faisant abstraction du béret et de la baguette, clichés sur la voie heureuse des oubliettes, quelque chose comme Cannes ou « the Famous Burgundy Wines ». Puis il ajoutera quelques commentaires sur les vertus viticoles et culinaires de l'Hexagone, pays aux origines lointaines où se perdent parfois les siennes. Avec son appareil photographique en éveil permanent autour du cou et les yeux bridés en prime, il tiendra à peu près le même langage, se fendant de quelques références historiques à la clef. S'il vient du Nord, en revanche, ledit visiteur cherchera peut-être à Beaune, un semblant de racine dans les compositions flamandes de Rogier Van der Weyden ou dans quelque admirable toit vernissé. Mais lorsque, Français le plus souvent, il fait étape sur la route des plages ensoleillées, c'est généralement pour limiter sa curiosité à la découverte du merveilleux établissement élevé à la gloire de Nicolas Rolin, dans la foulée d'une trop courte halte gastronomique. Il y a dans ce phénomène des temps modernes une certaine injustice. Beaune doit beaucoup à l'impact médiatique de son Hôtel-Dieu et à sa position de capitale du bourgogne. Mais c'est faire fi des qualités intrinsèques de l'ex-ducale, de l'impact des civilisations qui, depuis toujours, s'y sont succédé. Un peu comme si le cordon ombilical entre le prestigieux établissement et sa ville était définitivement rompu.

Dans les faits, Dieu merci, les choses sont différentes. C'est sur le rétablissement d'une telle vérité que repose l'essentiel du défi relevé par ce livre. En faisant cohabiter, pour la première fois dans un ouvrage de cette nature, Beaune et ses Hospices, il est permis de croire que chacun y trouvera son compte : le Beaunois, au même titre que l'Américain, le Japonais, le Hollandais ou le Parisien. Il y a, derrière cette façon de procéder, la volonté de souligner, si besoin était, que l'Hôtel-Dieu est bien l'un des plus remarquables monuments de notre riche patrimoine français. Mais il y a aussi, avec la même détermination, la volonté de rappeler que Beaune, en tant que ville d'art et d'histoire, possède des atouts incomparables. L'exception est, en effet, des plus courantes dans cette cité que religieux, religieuses, ducs, duchesses, et mêmes rois et reines ont traversée ou habitée, laissant à chaque coin de rue la trace de leur passage. Aussi, tel un anneau de pierre scellant à jamais l'union de Beaune avec son passé, les remparts constituent-ils une carapace contre les agressions extérieures. Tant qu'ils seront debout, la vie intérieure de la ville, ses cours et ses façades qui ont su traverser les siècles avec bonheur, seront protégées. Il ne restera plus, pour percer les secrets de la belle, qu'à aller droit au cœur de sa spiritualité, et voir Notre-Dame, tout près de ce qui fut autrefois source de vie en ces lieux bénis des dieux, le castrum de Belna. Avec admiration ou, plus simplement, dans le recueillement. Il en restera toujours quelque chose.

Dominique BRUILLOT

A la gloire de Nicolas Rolin

Hôtel-Dieu de Beaune

NAISSANCE D'UN MYTHE

ST-CE le prix à payer pour obtenir une place au royaume céleste ? Est-il plutôt un bon samaritain de ce Moyen Age finissant ? Nicolas Rolin est, de toute façon, horrifié par la misère qui touche de nombreux sujets du duché de Bourgogne et il souhaite, sinon y mettre un terme, du moins faire ce qu'il peut pour leur venir en aide. Les Écorcheurs sont passés par là, dévastant hommes et biens sur leur passage. Ces soldats, démobilisés à la suite du traité d'Arras de 1435, livrés à eux-mêmes, n'ayant plus de batailles à mener, se sont transformés en brigands. Les paysans ont fui les campagnes pour leur échapper et les récoltes restent dans les champs. La région est en proie à la famine et la peste s'installe dans des villes comme Beaune. Les malheureux sont, chaque jour, plus nombreux à mendier et souffrir dans les rues. Aucune structure n'est capable de les accueillir.

Dans un acte solennel du 4 août 1443, Nicolas Rolin annonce la grande œuvre qu'il a décidé de mener à son terme. En même temps, il explique son geste. « *Moi, Nicolas Rolin (…), en reconnaissance des grâces et des biens dont Dieu, source de toute bonté, m'a gratifié ; dès maintenant, à perpétuité et irrévocablement, je fonde, érige, construis et dote dans la ville de Beaune, au diocèse d'Autun, un hôpital pour la réception, l'usage et la demeure des pauvres malades, avec une chapelle en l'honneur de Dieu tout-puissant et de sa glorieuse mère la Vierge Marie, à la mémoire et à la vénération de saint Antoine, abbé, dont il portera le nom et le* vocable, *en lui donnant les biens propres que Dieu m'a concédés* ». Il décrit ensuite de façon très précise le rôle qui devra être celui de l'Hôtel-Dieu, insistant sur le fait que du pain blanc doit être donné chaque matin « *aux pauvres de Jésus-Christ demandant l'aumône devant la porte dudit hôpital* ». Dès que la construction est achevée, Nicolas Rolin souhaite que « *ces pauvres des deux sexes, qui seront infirmes ou débiles, y soient reçus, alimentés et soignés, aux frais dudit hôpital, jusqu'à ce qu'ils soient revenus à la santé ou en convalescence* ».

Nicolas Rolin s'est assuré du soutien des plus hautes autorités de l'époque. Philipppe le Bon, duc de Bourgogne, lui a ainsi accordé une exemption d'impôt pour son établissement. Il l'a également autorisé à prélever dans les forêts domaniales, tout le bois dont il aura besoin pour la construction. Depuis Eugène IV, les papes qui se sont succédé ont, eux aussi, accordé un statut particulier à cet hôpital pour les pauvres, l'exonérant de toutes les redevances habituellement dues à l'Eglise. Pour le préserver de toute tentative d'appropriation de la part d'un autre monastère placé sous le même vocable de Saint-Antoine, le pape Nicolas V va jusqu'à prendre la précaution de le placer sous le vocable de Saint-Jean-Baptiste, en précisant : « *Dans la crainte que les frères de Saint-Jean-de-Jérusalem ou ceux du Saint-Esprit ou tous autres hospitaliers ou personnes ecclésiastiques ne prétendent revendiquer quelque droit sur cet hôpital, statuant qu'il est soumis à la juridiction immédiate du Saint-Siège, nous défendons aux dites personnes de revendiquer le moindre droit sur lui* ».

Les travaux d'édification vont durer près de neuf ans. Il semble que les artisans ont eu du mal à les réaliser, ne serait-ce que pour détourner et assécher la rivière, le temps de construire une voûte au-dessus de son lit. La population locale, moyennant rétribution, est largement mise à contribution pour acheminer les matériaux : la pierre des carrières de Rochetain, des Coucherias et de Blagny-sur-Vingeanne ; le sable de Bouilland et de Savigny-lès-Beaune ; le bois des forêts ducales ; le fer de Bèze et de Chalon-sur-Saône. Le pan de toiture qui longe la rue est recouvert d'ardoises, contrairement à l'usage de l'époque, qui consistait à utiliser des tuiles vernissées. C'est d'ailleurs avec ces tuiles qu'ont été couvertes les autres ailes. Elles ne sont pas, cependant, polychromes comme aujourd'hui, la date d'apparition de la couleur restant indéterminée.

13

Même s'ils se sont sans doute poursuivis pendant des années, les travaux sont bien avancés au tout début de 1452, date à laquelle les premiers malades arrivent à l'Hôtel-Dieu de Beaune. Ils sont accueillis dans la grande salle des « Pôvres » par les six religieuses que Nicolas Rolin a fait venir de Valenciennes. Une trentaine de lits, comme l'avait prévu Nicolas Rolin, sont prêts à les recevoir. Juste à côté d'une chapelle où, chaque matin à 8 heures, une messe est dite par l'un des deux prêtres choisis par le chancelier. Les jours fériés, les malades de l'Hôtel-Dieu peuvent admirer le retable de l'autel principal, grand ouvert.

Cette vie se poursuit ainsi jusqu'en 1459, date à laquelle Nicolas Rolin décide de remettre de l'ordre dans son hôpital. La maîtresse des sœurs, sœur Alardine Gasquière, n'a pas eu l'heur de plaire au fondateur qui l'éconduit. « *Ladite Alardine, explique-t-il, avait la parole dure et se rendait, sous d'autres rapports, insupportable aux pauvres de mon hôpital* ». En fait, elle contestait l'autorité du « patron » et souhaitait, contrairement à ses vœux, que les religieuses aient un mode de vie beaucoup plus monastique. Nicolas Rolin profite de cet événement pour affiner les statuts de l'Hôtel-Dieu qui sont approuvés par une bulle du pape Pie II, en janvier 1459. Ce nouveau règlement, composé de 28 articles, rappelle les prérogatives du chancelier et de ses successeurs, à savoir nommer l'intendant, la maîtresse, le confesseur et les prêtres de l'hôpital.

Il ne sera jamais dérogé à cette règle et, jusqu'en 1794, le « patron » de l'Hôtel-Dieu sera toujours un descendant de Nicolas Rolin.

A la mort du chancelier, en 1462, c'est son fils Jean qui prend la direction de l'hôpital. Une querelle l'oppose alors à sa belle-mère, Guigone de Salins, la troisième épouse de Nicolas Rolin, qui revendique ce rôle de « patronne ». Un long procès de six années donne gain de cause à cette dernière, qui présidera aux destinées de l'Hôtel-Dieu de 1468 au 24 décembre 1470, date de son décès.

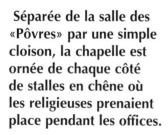

14

Séparée de la salle des «Pôvres» par une simple cloison, la chapelle est ornée de chaque côté de stalles en chêne où les religieuses prenaient place pendant les offices.

Au XVIIe siècle, Hugues Bétault, un riche Beaunois, a financé anonymement les travaux d'aménagement et d'équipement de la salle saint-Hugues. Douze lits plus confortables que ceux de la salle des pauvres y ont été installés pour accueillir des gens aisés.

Ressemblant à une coque de bateau renversé, la voûte du plafond, lambrissée et peinte, domine la grande salle des «Pôvres». On peut voir à plusieurs endroits les écussons des fondateurs de l'Hôtel-Dieu ainsi que ceux de Philippe le Bon et de son épouse, Isabelle de Portugal.

Les poutres transversales sont retenues par des entraits octogonaux peints et dorés. A leur extrémité, ces poutres sont décorées de figurines aux formes de monstres. Certains ont reconnu dans d'autres sculptures le visage de bourgeois de Beaune.

15

16

La cuisine, qui n'a pratiquement pas été modifiée, possède un plafond à poutrelles soutenu par deux colonnes de pierre.

Le petit automate est l'œuvre d'un horloger beaunois, De Fresne.

Quelques années plus tard, la ville de Beaune souhaite lever un impôt sur l'Hôtel-Dieu mais l'intervention de Charles le Téméraire permet de faire respecter la volonté de ses fondateurs. Cette bienveillance des différents souverains se poursuit tout au long des siècles. Dans le même temps, de généreux donateurs ne cessent d'apporter au domaine de l'Hôtel-Dieu de nouvelles richesses : argent, terres, maisons, vignes…

Une excellente réputation commence à entourer l'hôpital qui finit par attirer à Beaune d'éminents personnages. En 1562, Catherine de Médicis rend ainsi visite aux pauvres de l'Hôtel-Dieu ; en 1609, c'est la future sainte Jeanne de Chantal, accompagnée de François de Sales ; Louis XIV vient avec Anne d'Autriche et Mazarin, en 1658. Ces événements heureux en côtoient d'autres beaucoup plus terribles, comme la peste qui s'abat à plusieurs reprises sur la ville. A chaque fois, les habitants de Beaune, atteints par cette maladie, forcent les portes de l'établissement pour se faire soigner. De nombreux morts sont à déplorer. Les sœurs sont obligées d'entasser les patients à deux dans les lits. En 1634, quatre d'entre elles, dont la maîtresse, meurent de l'épidémie.

A ces désastres naturels viennent s'ajouter les vilennies de la Révolution. Rebaptisé Hospice d'humanité, l'Hôtel-Dieu connaît des difficultés financières en raison de la suppression de l'exemption d'impôt et l'établissement subit plusieurs outrages, dont la destruction de la verrière qui surmontait l'autel principal de la chapelle, et la

profanation de la sépulture de Guigone de Salins. Il est bien évidemment demandé aux prêtres de prêter serment, ce qu'ils refusent. Deux de leurs collègues, jureurs ceux-là, sont nommés pour les remplacer mais les sœurs continuent à se confier à l'abbé Forien, qui a été destitué tout en restant membre du conseil d'administration. Ce père spirituel est toutefois contraint à l'exil en 1792 et, l'année suivante, la Convention demande aux sœurs, à leur tour, de prêter serment. Aucune n'accepte.

Petit à petit, les choses vont rentrer dans l'ordre mais il faut attendre un décret de Napoléon, en 1810, pour que les religieuses de l'Hôtel-Dieu retrouvent pleinement leur statut. La Révolution a cependant produit un changement notable puisqu'elle a mis fin à la dynastie des Rolin à la tête de l'hôpital. Ainsi, de nos jours, les Hospices civils de Beaune sont gérés par un conseil d'administration dont le président, comme dans tout autre hôpital, est le maire de la ville. D'un point de vue administratif, il est dirigé par un directeur entouré de plusieurs adjoints qui ont en charge le centre hospitalier et les maisons de retraite mais aussi le domaine privé des Hospices, autrement dit le musée et le domaine viti-vinicole.

Cette évolution n'a toutefois pas bouleversé l'esprit de l'institution qui, en fait, a seulement changé de lieu, quittant petit à petit le cadre de l'Hôtel-Dieu pour s'installer dans des bâtiments plus fonctionnels. La grande salle a fermé ses portes en 1952 mais l'Hôtel-Dieu, de façon immuable, a continué à accueillir des malades jusqu'en 1971. Les personnes âgées de l'hospice sont, elles, restées jusqu'en 1983. L'architecture des bâtiments, bien qu'ayant évolué elle aussi avec le temps, n'est pas fondamentalement différente de celle des origines. La porte d'entrée, en chêne, surmontée d'un auvent, n'a pas changé. Pas plus que le heurtoir en fer représentant une salamandre

chassant une mouche. Même s'il n'y a plus qu'un seul office hebdomadaire à la chapelle, qui est toujours consacrée, le carillon rythme toujours les heures. Dans la cour d'honneur, le puits, qui date d'avant la construction de l'Hôtel-Dieu, est demeuré à sa place avec sa poulie accrochée à la ferronnerie.

Dans l'immense salle des « Pôvres », longue de 46,30 m et haute de près de 16, les lits, couverts de rouge, sont ornés de rideaux destinés à être tirés pendant les soins pour préserver l'intimité des pensionnaires. Toutes ces couches regardent vers la chapelle, une orientation qui permettait aux malades de suivre les offices. Le lieu de culte n'est séparé de la grande salle que par une cloison en bois sculpté.

Toujours au rez-de-chaussée, la salle Sainte-Anne accueillait également des malades, mais plus aisés. Juste à côté, l'infirmerie était installée dans la salle Saint-Hugues, aménagée grâce à Hugues Bétault, un mécène beaunois. La salle Saint-Nicolas a été créée après le passage de

Louis XIV, en 1658, qui estimait que les hommes et les femmes ne devaient pas cohabiter dans la grande salle. Celle-ci fut donc aménagée pour les hommes. La cuisine constitue une autre curiosité avec son automate servant de tournebroche et tous les ustensiles de cuivre dans lesquels étaient préparés les repas des pensionnaires. La pharmacie, ou apothicairerie, possède une collection impressionnante de pots en faïence de Franche-Comté, et des objets en cuivre et en étain qui servaient aux soins. Autre trésor de l'Hôtel-Dieu : les tapisseries. Elles sont exposées dans la salle Saint-Louis qui, autrefois, était la grange. Elle a été aménagée en 1668 grâce au don de Louis Bétault, le frère d'Hugues, qui a permis de l'équiper de 12 lits supplémentaires. Dans une annexe de cette salle est exposé le chef-d'œuvre de Rogier Van der Weyden, le retable de l'Hôtel-Dieu de Beaune.

Plus de 400.000 visiteurs viennent chaque année visiter cette institution créée il y a plus de cinq siècles et qui a su respecter les vœux de son fondateur.

La salle saint Louis a été construite par le Beaunois Louis Bétault, le frère d'Hugues, en 1668. Destinée elle aussi à l'accueil des malades, elle est ornée d'une superbe fontaine en marbre. C'est dans cette salle que sont exposées aujourd'hui les plus belles tapisseries de la collection de l'Hôtel-Dieu.

Nicolas Rolin, peint de trois quart par le peintre Rogier Van der Weyden. Son visage n'est pas très favorisé dans ce portrait aux traits stylisés, qui le représente à un âge déjà avancé, mais les doigts de ses mains jointes sont très fins.

Guigone
et Nicolas

DÉVOTION ET AMBITION

**Dans
le petit musée,
deux statues
très stylisées
représentent
Nicolas Rolin
et Guigone de Salins,
agenouillés,
les mains jointes.**

**Sur ces deux vitraux
de la chapelle,
les armoiries de Nicolas,
les trois clés, et celles
de Guigone, trois clés
et une tour. Elles ont
ensuite fusionné, comme
sur cette tapisserie.**

N ICOLAS ROLIN est né dans une ville voisine de Beaune, à Autun, sans doute un jour de l'année 1380. Si les historiens semblent s'accorder sur l'année de sa naissance, la date exacte, en revanche, n'est pas fixée avec précision. Le jeune Nicolas appartient à une famille bourgeoise aisée mais sans grande fortune. Comme son père, il devient avocat et, s'il s'était limité comme lui à exercer cette profession dans la cité éduenne, il n'aurait jamais accru son patrimoine de telle façon.

Sa réussite, il la doit peut-être à l'éloquence dont il fait preuve à la cour du duc de Bourgogne, Philippe le Hardi, où il a été employé. Lorsque ce dernier disparaît, son fils, Jean Sans Peur, garde Nicolas Rolin comme conseiller et finit par le nommer maître des requêtes. Philippe le Bon l'adoube en 1424, à 48 ans, deux ans après l'avoir nommé chancelier, l'un des postes les plus élevés du duché, puisqu'il correspondrait à peu près, de nos jours, à une charge de Premier ministre doublée de celle de ministre des Affaires étrangères. Cette fonction, il la conserve pendant près de quarante ans, jusqu'à la fin de sa vie. Un record.

Il lui faut toute son habileté de procédurier pour assurer la paix intérieure, pour veiller à la bonne administration des états qui composent alors la Bourgogne et pour négocier les différents traités signés par Philippe le Bon. Nicolas Rolin joue ainsi un rôle essentiel tout au long des discussions précédant la signature du traité d'Arras, en 1435, qui met fin à la domination anglaise en France. Ce même traité prévoit de restituer tous les biens que Philippe le Bon a confisqués aux partisans du roi et qu'il a ensuite distribués à ses fidèles. Ces derniers sont donc tous sommés de rendre les terres qui leur ont été octroyées. Tous…

**Nicolas et Guigone sont unis, en prière,
sur ce vitrail de chaque côté du Christ.**

sauf Nicolas Rolin qui, grâce à la générosité de son protecteur, est devenu l'un des plus gros propriétaires fonciers de l'époque. Le chancelier ne refuse pas non plus les présents qui s'offrent à lui pour qu'il intervienne auprès du duc de Bourgogne. Devenu riche, il continue à accepter toute nouvelle contribution à l'augmentation de sa fortune. Cette attitude provoque des sarcasmes, ceux, par exemple, du futur Louis XI à qui l'on prête de méchants propos lors de la mort du chancelier. « *Rolin a tellement dépouillé les pauvres qu'il leur doit bien cela* », aurait déclaré le prince en substance.

En plus de toutes ces terres, Philippe le Bon a également souvent donné, en cadeau à son chancelier, des manuscrits, confisqués eux aussi à des opposants politiques. Cela laisse penser que Nicolas Rolin, même s'il n'était pas un bibliophile au sens moderne du terme, avait une passion pour ces magnifiques enluminures.

Richement doté, il n'attend pas la fin de sa vie pour consacrer une partie de cette fortune, accumulée tout au long de sa carrière, à des œuvres religieuses, à Beaune bien sûr, mais aussi à Autun ou encore à Avignon. C'est lui, par exemple, qui fonde un chapitre de douze chanoines à l'église Notre-Dame du Châtel d'Autun auxquels il offre, de son vivant, une soixantaine de manuscrits. Selon la coutume, Nicolas Rolin fait mentionner sur les actes notariés tous ces objets qu'il confie à telle ou telle fondation. On peut ainsi retrouver la trace de l'un des ses plus beaux livres, une Bible qu'il a donnée à l'Hôtel-Dieu de Beaune. Depuis, l'ouvrage a été cédé à la bibliothèque d'Autun où il est actuellement conservé.

En s'intéressant aux arts, Nicolas Rolin ne fait pas que calquer l'attitude de la nouvelle classe à laquelle il appartient et qui est censée se passionner pour le domaine créatif. C'est un véritable mécène, un amoureux des belles choses, qui voit et parle avec les artistes de la cour de Bourgogne, comme Jan van Eyck qu'il croise à plusieurs reprises, lors de ses voyages en Flandre bourguignonne. Le peintre réalisera, vers 1434, la célèbre Vierge du chancelier Rolin, exposée au musée du Louvre. De la même façon, le chancelier du duc de Bourgogne apprécie certainement le travail de Rogier Van der Weyden, le peintre officiel de la ville de Bruxelles, lors de ses différents séjours dans l'actuelle capitale belge puisqu'il lui commande le fameux retable de l'Hôtel-Dieu.

Sur le plan familial, Nicolas Rolin semble connaître une vie mouvementée, pas toujours accompagnée de bonheur. Alors qu'il a déjà trois enfants en dehors du mariage, il prend pour épouse Marie Le Mairet, la fille d'un bourgeois de Beaune, en 1398. Elle meurt trois ans plus tard. Il se remarie en 1405 avec Marie des Landes, une jeune femme issue de la haute bourgeoisie. Ils ont ensemble quatre enfants, dont Jean, celui qui deviendra cardinal. Marie des Landes succombe à son tour en 1410. Sa troisième épouse est également une jeune fille de très bonne famille. Guigone de Salins, originaire du Jura, où les siens possèdent les mines de sel de Salins, est la petite-fille de Béatrix de Vienne. A la cour de Bourgogne où son frère est maître d'hôtel de Jean Sans Peur, Guigone est une femme discrète mais elle saura combler ce mari lancé sur la voie de la réussite. Ils ont ensemble deux autres enfants et leur vie commune dure cinquante ans.

L'abbé Forien est l'un des « beaux-pères » qui a laissé son empreinte à l'Hôtel-Dieu. Refusant de prêter serment aux révolutionnaires, il a été déchu de son poste mais les sœurs hospitalières ont cependant continué de se confesser à lui.

Sur un côté du vitrail de la chapelle, un ange taillé dans le bois tient l'écusson de Guigone

Les initiales entrelacées de Guigone et de Nicolas se retrouvent un peu partout, notamment sur les tapisseries et sur les carreaux de l'hôpital.

22

Gaspard de Clermont-Tonnerre était un descendant de Nicolas Rolin. Il a été, à ce titre, l'un des patrons de l'Hôtel-Dieu avant la Révolution.

Guigone accompagne très souvent Nicolas dans ses nombreux déplacements à travers le duché. Le 17 février 1454, ils sont ensemble à Lille, à la fête du Faisan organisée par Philippe le Bon, un événement retranscrit intégralement par le chroniqueur de la cour, Olivier de la Marche. Elle est même assise à la table du duc de Bourgogne qui annonce, ce jour-là, son intention de partir en croisade. Il en fait le vœu sur le faisan qui constitue le plat principal de ce banquet et, chacun à leur tour, les invités font de même. Certains sont enthousiastes, d'autres plus réticents. C'est le cas de Nicolas Rolin qui, arguant de son âge avancé, promet du bout des lèvres « *d'envoyer au service de Monseigneur à ce saint voyage l'un de mes enfants accompagné de vingt-quatre gentilshommes bien armés et montés. Je les entretiendrai à mes frais aussi longtemps que Monseigneur le duc y sera* ». Nicolas Rolin n'aura en fait rien à débourser puisque Philippe le Bon renoncera à son départ armé pour Jérusalem.

Sur la fin de sa vie, le chancelier Rolin tombe en disgrâce au sein de la cour de Bourgogne, vilipendé par les nobles qui n'ont jamais accepté qu'il occupe une fonction qui leur était habituellement réservée. Il n'empêche : Philippe le Bon, alité, apprend avec beaucoup de chagrin la mort, le 18 janvier 1461 à Autun, de son chancelier qui est inhumé dans sa ville natale, celle où il a, en fin de compte, passé la plus grande partie de son temps.

La fidèle Guigone survit neuf ans à son mari. Un procès l'oppose à son beau-fils, le cardinal Jean Rolin, pour savoir qui des deux doit diriger l'Hôtel-Dieu. Le prélat s'est imposé à la mort de son père et il tient les rênes de l'hôpital pendant six années. Finalement, Guigone obtient gain de cause et remplace son beau-fils à partir de 1468. Un juste retour des choses pour celle qui se donnait sans compter à l'institution créée par Nicolas, lui cédant une bonne part de sa fortune, notamment huit cents écus d'or, du vin, des ornements et un reliquaire d'une grande richesse. Guigone finit même par revêtir la robe des religieuses et à vivre comme elles, en mangeant la nourriture des pauvres. Elle occupe une chambre de l'hôpital où elle s'éteint le 24 décembre 1470. Elle est inhumée dans une crypte devant le maître-autel de la chapelle de l'hospice. Au XVIIe siècle, saint François de Sales évoque sa mémoire en la comparant à « *une petite violette de mars qui répandit une suavité non pareille par l'odeur de sa dévotion et de sa charité* ».

Les deux fondateurs sont très présents à l'Hôtel-Dieu. Outre les portraits que l'on peut découvrir sur le retable ou sur les vitraux de la chapelle, leurs initiales entrelacées se retrouvent un peu partout ainsi que la devise de Nicolas Rolin, « Seulle », accompagnée, sur le carrelage émaillé, d'une étoile. Ce symbole, signifiant « *tu es ma seule étoile* », s'adressait bien évidemment à Guigone. Cette omniprésence du couple ne doit cependant pas être considérée comme étant une manifestation ostentatoire et déplacée de leur piété comme elle pourrait être jugée aujourd'hui. Au XVe siècle, il était tout naturel, pour de tels donateurs, d'afficher leur générosité aux yeux de Dieu et des hommes.

Coiffée d'une grande cornette, Guigone de Salins possède sur ce portrait un visage assez dur, presque masculin, malgré ses yeux baissés. Réputée pour sa générosité et sa grandeur d'âme, l'épouse du chancelier Rolin ne semblait pas être dotée d'une exceptionnelle beauté physique.

© M. LEGRAND

Sœurs hospitalières

FIDÈLES À DIEU, À ROLIN

(Page ci-contre)
Françoise Bigot, la maî-tresse de la communauté des sœurs hospitalières en 1880. Contrairement aux premières supérieures, nommées par le patron, les maîtresses ont été officiellement élues par les autres religieuses à partir du XVIIᵉ siècle.

Le parcours des sœurs hospitalières de Beaune est une référence aux yeux de beaucoup de congrégations dont les membres viennent volontiers visiter l'Hôtel-Dieu.

REMIÈRES à être entrées dans les lieux pour assurer l'ouverture de l'hôpital, en janvier 1452, elles ont suivi les malades lors de leur transfert dans le nouveau centre hospitalier, en 1971. Quelques-unes d'entre elles poursuivent encore leur mission, auprès des personnes âgées. Sans leur dévouement, leur sollicitude attentive, leur service diligent et efficace, il est évident que l'Hôtel-Dieu de Beaune, hormis son aspect architectural, n'aurait jamais été le grand établissement que l'on connaît.

Dans la charte de fondation de 1443, Nicolas Rolin indique le rôle qu'il entend donner à la supérieure : « *Je veux et ordonne qu'il y ait dans mon hôpital une maîtresse chargée de la direction et de la conduite des sœurs pour le service convenable des pauvres : elle aura autorité pour conduire et diriger les sœurs, les former aux bonnes mœurs et les maintenir de tout son pouvoir dans les sentiments de charité* ». Elle est donc placée sous l'autorité du patron, en l'occurrence le chancelier Rolin, et, plus tard, ses successeurs, aux côtés du maître

qui est en fait l'intendant de l'Hôtel-Dieu. Le patron nomme également un confesseur (le beau-père) pour les sœurs.

La première maîtresse, Alardine Gasquière, arrive de Valenciennes, bientôt rejointe par cinq autres religieuses. Elles apportent avec elles leurs règles de vie s'inspirant de coutumes monastiques. Dans les premières années d'activité, les relations entre le fondateur et les sœurs de la communauté ne sont pas très simples. Souhaitant avoir à l'Hôtel-Dieu des religieuses qui se consacrent entièrement aux malades, Nicolas Rolin renvoie sœur Alardine, en 1459. Il estime qu'elle fait régner un ordre trop strict, par exemple lorsqu'elle interdit aux autres sœurs de boire un verre d'eau sans sa permission. Mais il ne veut pas non plus que se crée un nouvel ordre monastique, que les sœurs prennent trop de leur temps pour la prière - même si celle-ci a largement sa place - au détriment des soins apportés aux malades, et, surtout, que la vie soit trop dure, risquant d'ébranler les santés et de décourager de nouvelles vocations. Il précise donc tous ses désirs

Dans cet Hospice voulu par Nicolas Rolin, les sœurs s'occupaient principalement des pauvres. Toujours attentives, elles allaient plusieurs fois par jour à leur chevet, soit dans la salle saint-Hugues, soit dans la grande salle des « Pôvres ». Elles ont acquis très rapidement une grande réputation. Les malades ont été soignés ici jusqu'en 1971.

Pour des raisons financières, le pharmacien de l'Hôtel-Dieu a été remplacé en 1788 par l'une des sœurs de la communauté. Mais, depuis longtemps déjà, des religieuses officiaient à l'apothicairerie, comme ici la sœur Monet, en 1624.

dans un nouveau règlement appelé « Statuts de l'Hôtel-Dieu ». Ce document sobre et marqué de sagesse, est en fait l'acte de naissance de la communauté des sœurs hospitalières de Beaune. Approuvé par le pape Pie II, il connaîtra peu de changements tout au long des cinq siècles pendant lesquels il fut en vigueur à Beaune. L'une des seules modifications notables, qui interviendront après la mort de Nicolas Rolin, est la nomination de la maîtresse. Le cardinal Rolin, qui succède à son père, décide en effet qu'elle ne sera plus nommée par le patron, contrairement aux volontés du fondateur, mais élue par les autres sœurs. Ce principe sera repris officiellement en 1636 dans les « Règles et observances de l'Hôtel-Dieu » par le père Carmagnolle, beau-père de l'établissement.

L'un des principes de base des vingt-huit articles édictés par Nicolas Rolin, en 1459, est l'absence de profession solennelle des religieuses de son hôpital. Les exigences de charité, de respect de la dignité des pauvres, de service inlassable, ne peuvent être vécus par contrainte. D'où cette liberté consenti aux sœurs. Elles ne prononcent pas de vœux définitifs et « *peuvent sortir si elles s'ennuient de servir les pauvres* ». Le noviciat est fondé, en 1788, à l'initiative du père spirituel de la communauté, sur les droits de l'église. Les jeunes sœurs effectuent une période probatoire fixée à six mois et revêtent le tablier blanc sur leur habit séculier. La maîtresse, après avis du père spirituel, leur donne l'habit de novice, puis celui de sœur lorsque cela semble à propos. Une promesse solennelle, qui

Ce sont elles qui préparaient les repas des pensionnaires et des religieuses dans ces magnifiques cuisines équipées d'ustensiles ressemblant parfois à de véritables œuvres d'art.

29 ✦

Les habits des mannequins présentés dans les salles de l'Hôtel-Dieu sont réalisés par les sœurs.

Les sœurs ne faisaient pas que soigner les malades. Elles s'occupaient aussi de toutes les tâches ménagères, comme l'entretien du linge ou le tissage de la laine.

prend le nom de vœux simples, est prononcée pour entrer dans la communauté. Ces engagements ne valent que pendant la période de service à l'Hôtel-Dieu. Si, pour une raison ou pour une autre, une sœur souhaite s'en aller, une rétribution lui est versée pour toutes ses années passées à l'Hôtel-Dieu. Ces statuts resteront en vigueur jusqu'en 1939, date à laquelle la communauté, rejointe par d'autres communautés de Beaune, devient congrégation et adopte une règle de vie conforme au droit canon de l'époque. A la suite du concile de Vatican II, il est demandé à tous les instituts de rénover leurs statuts. Après une longue réflexion, de nouvelles constitutions sont rédigées. La règle de vie actuelle est approuvée par le Vatican en 1984. Il lui est reconnu pour mission « *le ministère d'aide et de miséricorde dans le monde hospitalier* ».

Depuis le Moyen Age, les règles de vie sont relativement souples par rapport aux autres communautés religieuses. Les hospitalières observent les jeûnes de l'église catholique. Elles se lèvent entre cinq et six heures le matin et se couchent entre vingt et vingt-et-une heures, selon les saisons ; elles se relaient à deux chaque nuit pour la surveillance des malades ; elles assistent avec leurs pensionnaires à la messe du matin mais il y a peu de prescriptions strictes par rapport au temps de prière. Les exercices de dévotion étaient laissés à la discrétion de chacune - selon que Dieu leur en fait

la grâce et que le service des pauvres le peut permettre - et au jugement du père spirituel.

La communauté devient florissante au cours des siècles. La tradition cependant perdure si l'on en croit Vincent Rougeot qui indique que, le 19 janvier 1787, lors de l'installation d'une nouvelle maîtresse, « *une prière ancienne est lue dans un cérémonial manuscrit datant de la fin du XVᵉ siècle* ». Jusqu'à ces années précédant la Révolution, la réputation des soins qu'elles prodiguent franchit les limites de Beaune et de la Bourgogne, en partie grâce aux soldats qui sont accueillis à l'Hôtel-Dieu, blessés lors des nombreuses guerres qui émaillent l'histoire de France. Sur les champs de bataille, ce conseil est adressé aux militaires blessés : « *Gagne Beaune et tu seras guéri* ». La communauté essaime un peu partout en France et en Suisse, notamment à partir du XVIIᵉ siècle. Elle est à l'origine de la création d'une cinquantaine d'établissements hospitaliers, à Chalon-sur-Saône, Dôle, Besançon, Neufchâtel… Actuellement, les sœurs sont présentes en Guadeloupe et au Rwanda.

Une autre décision va donner aux sœurs hospitalières de Beaune un prestige supplémentaire : la nomination d'une sœur au poste de pharmacien. C'est elle qui va s'occuper de l'apothicairerie de l'Hôtel-Dieu. Cette mesure s'accompagne d'une spécialisation des médicaments destinés aux soins des malades, selon le degré de gravité de leur mal. C'est à cette époque aussi que les religieuses rencontrent leurs premières difficultés avec les privations imposées par les révolutionnaires. En 1791, alors que l'Hôtel-Dieu accueille en moyenne une centaine de malades, sans compter les soldats blessés, la vingtaine de sœurs travaille dans des conditions déplorables. C'est la conséquence de l'application de la constitution civile du clergé. Le pire arrivera en 1793 avec la profanation du cimetière et d'autres lieux de l'Hôtel-Dieu, et l'incarcération de plusieurs sœurs. Parmi elles, la Compagne Suzanne Brunet, l'adjointe de la Maîtresse, qui échappera à la guillotine grâce à la chute de Robespierre. Les choses ne rentreront vraiment dans l'ordre qu'avec le Concordat de 1801.

Pendant la première moitié du XIXᵉ siècle, la communauté est à son apogée, ce qui correspond à un élan nouveau après la Révolution, à un engouement de la société en général pour l'esprit religieux. Fidèles à leur tradition, elles ont retrouvé la sérénité pour s'occuper des malades qui ne bénéficient pas encore des progrès de la médecine et qui souffrent dans leur chair. Elles suivent avec ferveur les recommandations de leur nouvel aumônier-directeur, l'abbé Mallat, qui leur enjoint d'accompagner les mourants jusqu'au terme de leur vie. En 1839, plusieurs religieuses, tout en acceptant cette règle de vie à destination des pensionnaires de l'hôpital, contesteront le règlement du fondateur, demandant à vivre selon des rites plus monastiques. Leur vœu ne sera pas exaucé et elles devront quitter la communauté. Cet événement illustre parfaitement la permanence de l'esprit des statuts édictés par Nicolas Rolin. Tout au long des siècles, les sœurs de la communauté hospitalière de Beaune sont restées fidèles aux grands principes du chancelier de Bourgogne et à l'esprit des origines.

Depuis longtemps, la communauté des hospitalières de Beaune a essaimé un peu partout dans le monde et les sœurs ont franchi les grilles de l'Hôtel-Dieu pour aller s'occuper des malades là où ils se trouvent.

La Charité

FILLE DE L'HÔPITAL

(Ci-dessus)
**L'ancien costume
des sœurs de la Charité,
avec la croix de Malte,
ou croix des Trinitaires.
L'ordre avait été placé
par ses fondateurs
sous le vocable
de la sainte Trinité.**

Fondé en 1645, l'hospice de la Charité était à l'origine un établissement chargé d'accueillir les orphelins. C'était une époque où les épidémies et les maladies infectieuses faisaient des ravages et les orphelins étaient nombreux à chercher un toit. L'institution fondée par un bourgeois de Beaune, Antoine Rousseau, et par Barbe Deslandes, avait donc pour vocation de les héberger et de pourvoir à leur éducation.

Quelques années après la Révolution, en 1805, l'Hôtel-Dieu et l'hospice de la Charité ont fusionné mais, jusqu'au milieu du XIXᵉ siècle, étant donné que leurs domaines viticoles respectifs étaient importants - les généreux donateurs léguant leurs biens soit à l'un soit à l'autre - la production continua à être différenciée. Ainsi, chaque domaine identifiait ses vins par ses propres étiquettes. Désormais, l'ensemble de la production est vendue sous une étiquette commune.

La communauté des sœurs de la Charité a quant à elle fusionné avec les sœurs hospitalières de Beaune en 1964. Une visite de l'Hôtel-

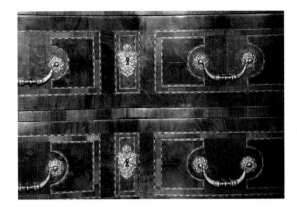

Dans le bureau qui fut celui de l'ancienne Mère supérieure, plusieurs commodes qui se sont embellies avec la patine des années.

Le petit musée de la Charité abrite un mobilier et des objets de grande valeur. Ici, au fond, dans le vaisselier, des assiettes et des gobelets en étain qui servaient aux orphelins.

Les jeunes filles orphelines filaient la laine avec des rouets comme celui-ci.

Seringues, plateaux et clystères en étain qui servaient aux lavements.

La bibliothèque possède encore de très beaux livres comme ces antiphonaires utilisés pour la liturgie.

La grande sacristie était autrefois le bureau de l'économe de la communauté. A l'intérieur, de très beaux meubles en marqueterie, œuvre du sculpteur Jasmin de Tours qui a signé ces pièces avec des fleurs de jasmin.

Dieu doit s'accompagner d'un détour par l'hospice de la Charité même si seule la chapelle est ouverte au public. Outre la porte de la cour équipée d'un lourd contrepoids en pierre et d'une huisserie remarquable, l'un des attraits de cette chapelle est la magnifique grille en fer forgé fermant le chœur.

Le petit musée, dont la taille, comme son nom l'indique, est malheureusement devenu trop petit pour accueillir les visiteurs. Il recèle pourtant bon nombre d'objets superbes comme des meubles en marqueterie.

Apothicairerie

SECRETS DE PHARMACIE

36

L'étain était un matériau utilisé dès la fondation de l'Hôtel-dieu. Ceux-ci ont été refondus en 1884 dans les moules d'origine.

P ENDANT très longtemps, médecine et pharmacie ont été deux disciplines confondues. Ce n'est qu'à la fin du Moyen Age que la profession d'apothicaire a fait son apparition, mais il a fallu attendre 1777 pour que le pharmacien soit officiellement reconnu comme un professionnel à part entière. Onze ans plus tard, l'une des sœurs de la communauté de l'Hôtel-Dieu de Beaune est nommée au poste de pharmacien de l'institution. C'est la seule religieuse dont la fonction n'est pas renouvelée de façon triennale.

Jusqu'au XIXᵉ siècle, les préparations données aux malades proviennent essentiellement des plantes. Les opiacées, par exemple, sont utilisées pour calmer les douleurs les plus fortes. Des sirops ou des teintures de digitale, conservés dans de précieux pots de faïence, servent à combattre l'insuffisance cardiaque ; la rhubarbe ou l'huile de ricin soignent les troubles digestifs ; l'ipeca calme la toux. La plupart des fleurs et plantes ont été étudiées, testées. Elles entrent dans la composition des tisanes dont l'usage est très répandu. L'alcool fait également partie du traitement : les malades reçoivent chaque jour 125 grammes d'eau-de-vie. Le quinquina est par ailleurs largement mélangé au vin pour donner du tonus aux pensionnaires de l'établissement.

37

(Page ci-contre)
La superbe collection de pots de faïence de l'apothicairerie a été cédée à l'Hôtel-Dieu en 1789 par le pharmacien beaunois Gremaud. La plupart de ces 130 pièces, dont certaines datent du XVIIᵉ siècle, sortent des faïenceries du Jura et de Franche-Comté. Trois d'entre elles sont des Nevers.

Le docteur Jean-Baptiste Bourgeois s'est consacré aux malades de l'Hôtel-Dieu pendant plus de la moitié de sa vie. Il a été médecin de l'institution de 1749 à 1794.

(Ci-contre en haut)
Un herbier du XVIIIe siècle et un mortier en bronze.

(Ci-contre en bas)
Les instruments contenus dans ce joli coffret sont des tarières servant à la trépanation.

La poudre de Cloportes ou les roses de Provins, contenues dans ces bouteilles en verre, avaient sans doute des effets psychologiques bénéfiques. Mais l'esseutiel était de calmer la douleur des pauvres malades.

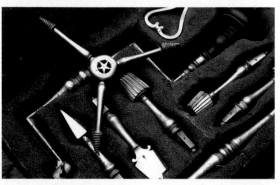

L'un des remèdes miracles des apothicaireries - et celle de Beaune n'échappait pas à la règle - reste cependant la tyriacle, un savant mélange de racines de gentiane, de pétales de roses, de poivre, de cannelle, et de bien d'autres substances, dont l'opium qui, à lui seul, est peut-être l'explication des bienfaits apportés par le remède.

Ce n'est qu'à partir de la fin de la Seconde Guerre mondiale que les antibiotiques font leur apparition, réussissant à éradiquer les épidémies de fièvre typhoïde ou de tuberculose. Un peu plus tard, le matériel, lui aussi, se perfectionne. Finies les aiguilles émoussées, à cause des usages multiples, que les sœurs hospitalières ou les infirmières aiguisaient régulièrement. Les aiguilles à usage unique font leur apparition. Finis les instruments de trépanation. Les sciences médicale et pharmaceutique ont fait leur entrée à l'Hôtel-Dieu de Beaune qui, bien souvent, a été à la pointe du progrès.

Jugement dernier

L'ÉNIGMATIQUE RETABLE

Les élus qui s'apprêtent à franchir la porte conduisant au ciel sont accueillis par un ange.

Saint Sébastien est attaché à un tronc d'arbre. Des flèches plantées dans son corps rappellent le supplice qu'il a subi.

C'EST SANS CONTESTE le chef d'œuvre de l'Hôtel-Dieu. Le retable, ce tableau représentant le Jugement dernier, a pourtant bien failli ne pas arriver jusqu'à nous. Caché pendant la Révolution, il a été oublié dans un grenier pendant près de cinquante ans. Ce n'est qu'en 1836 qu'il est retrouvé, recouvert de plusieurs couches de badigeon. Il est de nouveau dissimulé pendant la guerre de 1870, cette fois dans une cave de l'Hôtel-Dieu. L'outrage des ans et des hommes aurait pu continuer à le détruire à jamais si des admirateurs et des «protecteurs» ne s'étaient heureusement penchés sur lui pour le tirer de l'oubli et, surtout, s'ils n'avaient réussi à faire prendre conscience aux administrateurs de l'Hôtel-Dieu de l'époque de son immense valeur. Grâce à leur perspicacité, des crédits ont pu être débloqués et le retable a été confié aux meilleurs spécialistes du Louvre qui ont travaillé à sa restauration entre 1875 et 1878.

Les neuf panneaux qui le composent, longs de 5,45 mètres, se refermaient autrefois sur trois parties. Mais le bois était tellement abîmé que les restaurateurs ont dû le scier dans l'épaisseur et transposer, avec toute la précaution que l'on imagine, la peinture sur toile. Cette technique de sauvegarde, outre son efficacité, présente l'avantage de pouvoir faire admirer l'œuvre dans son ensemble. Auparavant, il était possible de voir soit l'intérieur soit l'extérieur, mais pas les deux à la fois. D'ailleurs, les pensionnaires de l'Hôtel-Dieu avaient droit à la scène intérieure, celle du Jugement dernier, pendant les offices des dimanches et jours fériés. En dehors de ces heures liturgiques, le retable était replié et offrait à leur vue le portrait des deux fondateurs et bienfaiteurs de l'Hôtel-Dieu, Nicolas Rolin et son épouse Guigone de Salins.

Sur le panneau central, haut de 2,20 mètres, on peut admirer un Christ magnifique assis sur un arc-en-ciel, symbole d'union entre Dieu et les hommes, les pieds reposant sur le globe de l'univers. A sa droite, près du lys représentant l'espérance, une inscription en lettres blanches lumineuses : *«Venite, benedicti patris mei, possidete paratum vobis regnum a constitutione mundi»*, ce qui signifie : *«Venez, les bénis de mon père, possédez le royaume qui vous a été préparé dès le commencement du monde»*. Sur le petit panneau situé du même côté, à hauteur de son visage,

deux anges apportent des instruments de la Passion : la croix et la couronne d'épines. A la gauche du Christ, inscrite en lettres noires au-dessous de l'épée de l'Apocalypse, cette phrase : *«Discedite a me, maledicti, in ignem aertenum qui paratus est diabolo et angelis ejus»* indiquant aux réprouvés : *«Retirez-vous loin de moi, maudits, allez au feu éternel qui a été préparé à Satan et à ses anges»*. Sur un autre petit panneau faisant pendant au précédent de même taille, deux messagers célestes sont porteurs des autres symboles de la Passion : la lance, le fouet et l'éponge imbibée de vinaigre.

Sous les pieds du Christ, l'archange saint Michel, entouré de quatre anges appelant les morts au son de leurs trompettes, pèse les âmes. Tout le bas du retable, sur les sept panneaux, est consacré à la scène de la Résurrection. Des hommes et des femmes nus, certains à moitié sortis de terre, s'apprêtent à passer en jugement dans la balance divine. Plusieurs se dirigent vers la porte du ciel, sur le panneau situé à l'extrême droite du Christ; les autres, à l'opposé, les damnés, descendent dans le feu de l'enfer. Au début du XIXe siècle, les religieuses ont été choquées par ces personnages dévêtus et elles ont demandé au peintre Bertrand Chevaux de les habiller.

L'artiste, par bonheur, s'est rendu compte du sacrilège qu'il allait commettre et il a fait sa peinture à l'essence, ce qui a permis, lors de la restauration de l'œuvre, soixante-quinze ans plus tard, de retirer sans trop de difficulté ces vêtements pudibonds. Saint Michel, le regard impassible, présente une particularité par rapport à la plupart des scènes du Jugement dernier : le plateau de sa balance portant les Justes, contrairement à l'habitude, est en effet en haut.

Sur les deux panneaux du bas, à la droite du Christ et de saint Michel, une Vierge pleine de grâce et de tendresse est agenouillée. «*En 1968,* écrivent Geneviève Moingeon-Perret et Christiane Prélot-Levert, *des documents radiographiques ont révélé un dessin sous-jacent linéaire, très net, dans les figures de la Vierge, du Christ, de saint Michel et de saint Jean-Baptiste. Cette constatation, apportée par la science, est intéressante : ces personnages semblent sortis de la main du maître qui avait, nous dit-on, l'incisive précision du burin*».

Derrière la Vierge, six apôtres et, encore un peu en arrière, quatre personnages qui sont vraisemblablement le pape Eugène IV, coiffé de la tiare pontificale cerclée de pierreries; le duc de Bourgogne, Philippe le Bon, avec sa couronne; Nicolas Rolin; et, caché derrière, coiffé d'une tiare d'évêque, Jean Rolin, le fils aîné du chancelier. A propos de cette interprétation, les avis divergent puisque des historiens de l'art ont tendance à penser que ces quatre hommes ne sont tout simplement là qu'à titre symbolique et qu'ils ne représentent absolument pas les personnages historiques que nous venons de citer.

Le doute subsiste lorsque l'on veut mettre un nom sur les apôtres. Contrairement à ce qui a parfois été affirmé, il semble bien que celui qui est vêtu d'une chasuble rouge, à la droite du Christ, soit saint Pierre et non saint Paul comme certains l'affirment. Ces derniers, et notamment Fernand de Mély, arguent d'une confusion qui viendrait d'une lecture unique et réductrice des textes sacrés indiquant que saint Paul était chauve. D'autres indices, et notamment la couleur attachée symboliquement à chaque apôtre (interprétation elle aussi très décriée aujourd'hui), se retrouveraient dans ce tableau. Ils laissent à penser aux défenseurs de cette thèse que saint Paul est bel et bien assis à la droite du Christ alors que saint Pierre, avec son manteau vert, est assis, lui,

comme toujours, à sa gauche. De plus, ils indiquent que la devise de ce dernier, Credo in unum deum, est inscrite sur sa chasuble. Malgré ces remarques, l'unanimité paraît désormais l'emporter pour assurer que saint Pierre est bien, sur ce tableau, à la droite du Christ.

De l'autre côté, en vis-à-vis de la Vierge, saint Jean-Baptiste est assis devant les six autres disciples du Christ. Trois femmes sont situées juste derrière eux. Si l'on admet l'identité des quatre hommes se trouvant en face d'elles et dont nous avons parlé un peu plus haut, alors ces femmes pourraient être Guigone de Salins, dont on n'aperçoit que le visage. A sa gauche, coiffée d'une couronne ducale, la plupart des spécialistes identifient la duchesse de Bourgogne, Isabelle de Portugal, épouse de Philippe le Bon; la troisième, enfin, pourrait être Philipote Rolin, la fille de Nicolas, née d'un précédent mariage avec Marie des Landes.

La partie extérieure du retable se compose de quatre grands panneaux surmontés de deux volets mobiles. Ces derniers représentent, sous forme de statues en trompe l'œil, peintes en grisaille, l'Annonciation avec d'un côté l'ange Gabriel et de l'autre la Vierge au-dessus de laquelle plane le Saint-Esprit symbolisé par une colombe. Les personnages, au-dessous, sont bien

L'ange de l'Annonciation, logé dans une niche de pierre, fait face à la vierge.

43

Rogier Van der Weyden
LE BRUXELLOIS

Roger de le Pasture - c'est son vrai nom - est devenu peintre officiel de la ville de Bruxelles en 1435, à l'âge de 35 ou 36 ans. C'est la raison pour laquelle il a donné une consonance flamande à son nom, le transformant en Rogier Van der Weyden. Peu de choses concernant ce peintre sont arrivées jusqu'à nous. Il semble qu'il ait réalisé de superbes tableaux pour l'Hôtel de Ville de Bruxelles mais, malheureusement, cet édifice a brûlé en 1695. L'artiste n'a ni signé ni daté son œuvre, ce qui rend très difficile son identification et, surtout, son authentification. Seul un inventaire de 1574 - mais, là encore, quelle imprécision! - lui attribue la «Descente de Croix», conservé au musée du Prado à

Madrid et le «Calvaire» du monastère de l'Escurial. Hormis ces deux tableaux, tous les autres, et c'est le cas du retable de Beaune, ne peuvent que lui être attribués. Rogier Van der Weyden a été, en raison de son talent, beaucoup copié, ce qui rend les authentifications excessivement difficiles. En tout cas, ses contemporains ont loué son travail sans retenue. Il suffit, pour s'en convaincre, de se référer à l'épitaphe inscrite sur sa tombe : «*Sous cette pierre, Rogier, tu reposes sans vie, toi dont le pinceau excellait à reproduire la nature. Bruxelles pleure ta mort; elle craint de ne plus revoir d'artistes aussi habiles. L'art gémit aussi, privé d'un grand maître que nul n'a égalé*».

(En haut)
La Vierge de l'Annonciation
et *(en bas)* **saint Antoine,
reconnaissable à son
cochon et son bâton.**

sûr Nicolas Rolin et Guigone de Salins. Nicolas est agenouillé sur un prie-Dieu. Derrière lui, un ange tient son heaume et son écusson portant son blason, trois clés d'or disposées en pal. Le chancelier fait face à la statue de saint Sébastien, le patron d'armes des chevaliers de la Toison d'or.

Face à Nicolas, Guigone de Salins est, elle aussi, agenouillée avec un ange qui porte un écusson à ses armes, mi-parti chargé de trois clés et d'une tour d'or. Saint Antoine, représenté également sous forme d'un trompe l'œil peint en grisaille, regarde la fondatrice de l'Hôtel-Dieu. Il est reconnaissable à son bâton en forme de «T» sur lequel est appuyée sa main gauche, et au cochon qui l'accompagne et dont on aperçoit la tête.

Outre l'identification, souvent contestée et remise en question par les historiens ou les amateurs, la genèse même du retable n'est toujours pas entièrement éclaircie. Il n'existe aucune trace écrite de la date originelle de création du retable, mentionné pour la première fois que lors d'un inventaire en 1501. Rien avant et rien non plus après, jusqu'à ce qu'il soit retrouvé. Par conséquent, face à cette incertitude, plusieurs thèses s'affrontent. Celle qui avance le nom de Van Eyck semble à rejeter si l'on admet que Nicolas Rolin a commandé le tableau après avoir décidé de fonder l'Hôtel-Dieu, soit en 1443. A cette époque, Van Eyck n'était plus de ce monde depuis deux ans déjà. Certains spécialistes, cependant, au XIXe siècle notamment, ont toujours opté pour Van Eyck, affirmant que le retable avait été achevé bien avant la construction de l'Hôtel-Dieu. En 1865, par exemple, Alfred Michiels, dans son «Histoire de la peinture flamande», répondait à ceux qui attribuaient le tableau à Rogier Van der Weyden, un élève de l'atelier des frères Van Eyck : *«Pour le retable de Beaune, dont on a voulu faire honneur à Van der Weyden, il n'a aucun rapport avec sa manière. Il le dépasse comme le génie dépasse le talent; la main puissante des Van Eyck l'a marqué de leur empreinte, y a tracé leur nom en lumineux caractères».* Quelques années plus tard, le même spécialiste de l'art flamand revient sur cet avis, pourtant bien tranché, en avançant le nom de Van der Goes. Il est finalement contredit par des confrères comme l'abbé Dehaisnes qui, sûr de son fait, propose une nouvelle fois le nom de Rogier Van der Weyden. Cette fois, il apparaît bel et bien comme le véritable auteur. Seulement, en 1902, Fernand de

Mély se penche très sérieusement sur le retable, en affirmant l'analyser d'un point de vue strictement historique et scientifique, hors de toute passion. Ainsi, il s'intéresse à la présence de saint Antoine face à Guigone. Il n'a été le saint patron de l'Hôtel-Dieu que jusqu'en 1452. Logiquement, ce fait atteste *«que le retable a été fait avant cette année 1452».* Les experts d'aujourd'hui confirment, affirmant que le tableau aurait été terminé en 1450, avant le voyage du peintre à Rome. Il faut cependant noter que la représentation de saint Antoine tient peut-être plus à la vénération dont il faisait l'objet de la part de Guigone, qu'au fait que l'Hôtel-Dieu devait être placée sous son vocable.

Regardant le tableau avec attention, le comparant avec d'autres chefs d'œuvre de l'art flamand, Fernand de Mély en arrive à la conclusion que le retable de Beaune a sans doute été composé par plusieurs artistes de l'école de Bruges. Examinant saint Michel, il écrit : *«Dans cette figure si finement douce je retrouve si vite un visage si connu, que, malgré moi, je ne puis m'empêcher de penser à Memling».* Pour conforter sa thèse, l'historien relève une inscription sur la bordure de la robe du Christ. Bien qu'écrite dans une langue inconnue, il croit pouvoir affirmer qu'il existe un «M» barré d'un «I», le monogramme de Johannes Memling (en fait, il s'agit de Hans Memling) qui, selon de Mély, aurait *«signé de son prestigieux pinceau, dans la composition centrale, le Christ, la Vierge, saint Jean et surtout l'ovale exquis de l'inimitable saint Michel.»* Et il conclut : *«Plusieurs artistes y ont collaboré : très probablement Rogier Van der Weyden a peint les portraits; peut-être Thierry Bouts a-t-il travaillé aux réprouvés. Des artistes secondaires, des élèves, sans nul doute, ont traité les autres parties».* Cette version semble se heurter à un problème de date. Si c'est bien Memling qui a peint le panneau central, il n'était âgé au maximum que de dix-huit ans, ce qui paraît bien jeune pour peindre une telle œuvre, même pour un artiste surdoué.

Aujourd'hui, l'hypothèse la plus souvent retenue concernant ce chef d'œuvre est celle soutenue, entre autres, par Geneviève Moingeon-Perret et Christiane Prélot-Levert qui écrivent : *«Tous les experts d'Europe l'attribuent actuellement avec raison au grand peintre Rogier Van der Weyden ».*

Le Christ, portant les stigmates de la crucifixion, est assis sur un arc-en-ciel. Sa main droite, élevée, semble bénir les élus. La gauche, en revanche, tout comme l'épée du châtiment au-dessus, paraît leur indiquer le chemin des abîmes.

Ses pieds sont posés sur le globe de l'univers mais le peintre a su admirablement leur donner du mouvement, signe de tension résultant de la gravité de la scène du Jugement dernier.

Un homme est du bon
côté de la balance alors
qu'un autre, répondant
à l'appel de l'ange qui
souffle dans sa trompette,
sort de terre, symbole
de la résurrection.

L'archange saint Michel,
les yeux fixés sur
le fléau de sa balance,
pèse les âmes. C'est à
ce moment que se décide
le sort des ressuscités.

Devant les apôtres
situés à la droite du
Christ, la Sainte Vierge
au visage très pur,
coiffée de son voile
blanc et revêtue d'un
manteau bleu, prie
en regardant son fils
avec plein d'affection.

De part et d'autre
du Christ, sur les deux
petits panneaux
du haut, des anges
portent les instruments
de la Passion : la croix,
la lance, l'éponge
imbibée de vinaigre,
la couronne d'épines,

Le plateau de la balance a penché du mauvais côté pour cet homme dont l'attitude ne prête pas à équivoque.

Derrière Saint Paul, dans son manteau vert, et faisant face aux quatre personnages masculins, trois femmes dont deux identifiées la plupart du temps comme étant, Isabelle de Portugal, l'épouse du duc de Bourgogne (coiffée d'une couronne) et Philipote Rolin, la fille du chancelier née d'un premier mariage,

Photo : Michel Joly

Après leur jugement
et une longue marche,
les réprouvés tombent
dans les rochers
des enfers au milieu
des flammes.

Les damnés, à la gauche
du Christ, les traits tirés
et les muscles tendus,
se dirigent vers
les portes de l'enfer.
Une femme est tirée
par les cheveux,
comme pour accélérer
sa marche vers
les ténèbres. Un homme
se mange la main
en signe de dépit

Tapisseries

UNE FABULEUSE COLLECTION

Deux des cinq tapisseries relatant l'histoire de Jacob. D'abord le départ d'Esaü pour la chasse, salué par le vieil Isaac. Ensuite, la bénédiction de Jacob, le cadet, qui se fait passer pour Esaü en se mettant un agneau autour du cou et en bernant ainsi Isaac, aveugle. Enfin, Jacob ayant fui la maison par crainte de représailles, s'endort et songe.

Tapisserie flamande
du XVIᵉ siècle représentant
la légende de saint Eloi,
un maréchal-ferrant
qui avait coupé la jambe
à son cheval pour la ferrer.
Derrière le chevalier,
saint Fiacre, le patron
des jardiniers. A gauche,
la Vierge à l'enfant a pris
la place, sans doute
lors d'une restauration,
de saint Eloi qui
a disparu de la scène.
A l'extrême gauche,
la partie où est assise
une jeune femme n'est
pas d'origine, elle a été
rajoutée en 1965.

ICOLAS ROLIN et Guigone de Salins ne se
sont pas contentés de construire
l'Hôtel-Dieu, ils l'ont doté de magnifiques objets de décoration. Les tapisseries font partie de ce fonds inestimable. Le premier inventaire, celui de 1501, en recensait trente-et-une. Portant les armoiries de Guigone, ce qui laisse penser qu'elles avaient été offertes par l'épouse du chancelier, mais aussi la devise de Nicolas Rolin, « Seulle », et les initiales entrelacées des deux fondateurs, ces tapisseries à tourterelles à fond rouge servaient à orner le lit des malades. Elles ont quasiment toutes traversé les siècles, entretenues pendant plus de cinq cents ans par les sœurs de l'Hôtel-Dieu. Il en reste aujourd'hui trente conservées à Beaune.

Deux autres tapisseries datant de la même époque représentent saint Antoine, le premier saint auquel a été dédié l'hôpital. Elles servaient probablement à recouvrir les sièges réservés aux personnalités, de chaque côté de l'autel de la chapelle. Il en existe deux autres, sans doute commandées par Guigone de Salins après la mort de son mari, de tailles différentes mais représentant toutes deux la scène de l'Agneau mystique. Sans que leur destination soit parfaitement connue, la petite a peut-être servi à parer l'autel alors que la plus grande ornait la chaire à prêcher. Mais cette interprétation est sujette à caution, une étude récente ayant montré que leur envers était très soigné et qu'il était donc destiné à être visible.

Toutes les autres tapisseries constituant la fabuleuse collection de l'Hôtel-Dieu - une centai-

Cette tapisserie, sur laquelle figure
saint Antoine l'Ermite et son cochon
légendaire, recouvrait les sièges
d'apparat encadrant l'autel
de la chapelle, les jours de fête.

53

Ces tapisseries font partie d'un ensemble de sept représentant la parabole de l'Enfant prodigue. On y voit le fils dilapidant la fortune paternelle avec de jeunes femmes qui, plus tard, le chasseront.
Il passe également son temps à danser au son de la flûte et à chasser le cerf.
Il doit ensuite garder les cochons pour subsister en pensant aux serviteurs de son père qui, eux, ont de quoi manger. Finalement, il rejoint sa famille et se jette aux pieds de ses parents pour implorer leur pardon.

54

ne au total - ont été tissées après la mort des fondateurs et ont été léguées à l'établissement. L'un des joyaux de ce trésor est composé de sept panneaux retraçant la parabole de l'Enfant prodigue. Elle date du XVIᵉ siècle et elle est attribuée aux ateliers de Tournai. Une autre œuvre, du milieu du XVIᵉ siècle, celle qui raconte l'Histoire de Jacob, a

Deux tapisseries, une petite et une grande, représentent la scène de l'Agneau mystique dont on recueille le sang dans un calice. La croix est entourée de la couronne d'épines et, de part et d'autre, on peut voir une lune et un soleil.

toujours connu un grand succès, sans doute parce qu'elle mêle agréablement des scènes amoureuses à des bénédictions religieuses et à des activités de loisir, comme la chasse.

La manufacture d'Aubusson a vraisemblablement fourni plusieurs des autres tapisseries dont le Sacrifice d'Abraham, à la fin du XVIIᵉ siècle.

55

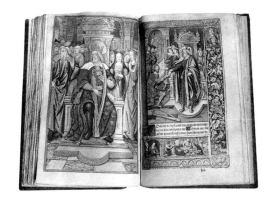

Objets précieux

LES DÉTAILS QUI FONT MERVEILLE

(Page ci-contre)
**Décoré d'émaux
et de pierreries,
cet ostensoir
en vermeil
est remarquable.**

L'Hôtel-Dieu possède une collection de trente-cinq coffres de la fin du Moyen Age ainsi que des panneaux sculptés qui constituaient la face d'anciens coffres. Ce véritable trésor permet de se faire une idée très précise de l'ameublement de l'établissement à l'époque de sa création.

Comme il l'avait indiqué dans la charte de fondation de l'Hôtel-Dieu, le chancelier Nicolas Rolin avait décidé de pourvoir l'établissement de tout le mobilier nécessaire. L'inventaire de 1501 dénombre plus de 300 objets : lits, tables, armoires, sièges et coffres. Ce qui demeure de ces derniers constitue une collection sans doute unique au monde. Il en reste 35 en parfait état et l'Hôtel-Dieu a, par ailleurs, conservé plusieurs panneaux qui composaient d'autres coffres.

Les statues méritent, elles aussi, une attention toute particulière. Le splendide Christ aux liens, ou Christ de Pitié, est un chef-d'œuvre dont la réalisation remonterait aux origines de l'établissement. Sculpté dans un chêne entier, il est exposé dans la salle des « Pôvres ».

Les objets et décors liturgiques, même s'ils ne datent pas de la fondation, sont très présents : ostensoir, moule à hosties, porte-encens… D'autres objets, à l'origine fonctionnels, sont devenus, avec le temps, des œuvres d'art. C'est le cas des ustensiles de cuisine, en cuivre ou en

Une statuette en bois de l'école flamande du XVIᵉ siècle représentant une Vierge à l'enfant.

59

Nicolas Rolin appréciait en connaisseur les livres qui, au Moyen Age, étaient de véritables œuvres d'art, comme ces bibles enluminées.

L'une des pièces maîtresses
datant de la fondation :
un Christ aux liens sculpté
dans un chêne. La statue
était placée au-dessus
de la porte d'entrée
principale de la salle
des « pôvres ».

60

Une fontaine en étain qui
permettait de conserver
l'eau sans lui donner
de mauvais goût.

(Ci-contre)
Même les chaises percées,
servant à l'aisance des
malades, étaient belles.

étain, mais aussi des pots en faïence de la pharmacie. Il en existe 130, provenant, pour la quasi-totalité, des faïenceries de Franche-Comté. Trois d'entre eux seulement sont des Nevers. Magnifiques également sont les rares livres, dont

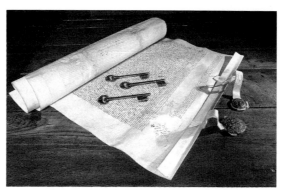

le roman de Girard de Roussillon, écrit à la main au XVe siècle, et l'herbier du XVIIIe siècle.

En fait, toutes les salles de l'Hôtel-Dieu, ouvertes ou non au public, recèlent des trésors, et c'est un plaisir que de les parcourir en regardant partout, dans le moindre recoin. Mais ces objets précieux sont si nombreux qu'il est bien difficile de les découvrir en une seule visite.

La charte de fondation de l'Hôtel-Dieu a été conservée avec les trois clés du blason de Nicolas Rolin.

Un moule à hostie.

Une piéta (statue représentant la vierge assise portant sur ses genoux le corps du Christ mort) en pierre. Cette statue appartient à l'école bourguignonne du XVIe siècle.

Cette Vierge à l'enfant, en pierre, est une œuvre de l'école bourguignonne du XVIe siècle.

61

Vins des Hospices

LES VENDANGES DE LA SOLIDARITÉ

(Page ci-contre)
**Les soixante-et-un hectares
de vignes des Hospices sont
situés dans les meilleurs
crus de la côte de Beaune
et de la côte de Nuits et,
depuis 1994, dans la zone
d'appellation du pouilly-fuissé.
André Porchelet, le régisseur
du domaine viticole, veille à la
grande qualité du vin produit
par les Hospices.**

L'UNE des spécificités des Hospices civils de Beaune est son domaine viti-vinicole. Effectivement, tous les hôpitaux de France sont habituellement propriétaires de fermes, d'immeubles, de landes ou de forêts qui ne constituent pas un apport financier important. Parfois même, ces biens coûtent plus qu'ils ne rapportent. L'institution beaunoise, elle, grâce aux dons qui se sont succédé tout au long de son histoire, est en revanche propriétaire de plus de 60 hectares de vignes. La plupart de ces ceps sont situés dans des zones d'appellation prestigieuses, ils donnent pratiquement tous des premiers crus et des grands crus. Un legs, en 1994, fait toutefois exception. Les vignes concernées par celui-ci sont, en effet, situées en appellation Pouilly-Fuissé alors que, jusque là, tous les crus des Hospices se trouvent en Côte de Beaune et en Côte de Nuits.

Le premier don connu date de 1457, quelques années après la fondation de l'Hôtel-Dieu. C'est un Beaunois, Jehan de Clomoux, qui lègue environ 33 ares de corton. Depuis, les donations n'ont pas cessé. Outre les vignes, les Hospices de Beaune possèdent aujourd'hui des fermes, la plus importante étant le château de Laborde, des immeubles et des forêts dont la gestion est confiée aux Eaux et Forêts. La superficie totale du domaine atteint plus de 1 300 hectares répartis entre la Côte-d'Or et la Saône-et-Loire.

Ce sont des vignerons, plus d'une vingtaine au total, dirigés par un régisseur, qui s'occupent du travail de la vigne des Hospices. Les hommes de l'art, tous des spécialistes amoureux de la vigne recrutés par le directeur, s'occupent chacun d'une superficie d'environ 2,5 ha. Ils sont salariés et, en plus, sont intéressés à la vente. Une attention particulière est apportée à l'élaboration du vin, à toutes les étapes de la production. Les engrais, pesticides et autres produits chimiques ne sont utilisés qu'avec parcimonie, le but n'étant pas de produire de la quantité mais de la qualité. C'est la raison pour laquelle, sans qu'ils n'y soient contraints par la loi, les vignerons des Hospices se limitent à un rendement de 30 hectolitres à l'hectare. Comme l'ensemble du vignoble bourguignon, les cépages utilisés sont le pinot noir pour les vins rouges et le chardonnay pour les blancs.

Les vendanges se font à une date décidée par le régisseur et par le directeur des Hospices. Tous les raisins, sauf les raisins pourris et les verjus (raisins verts) qui sont écartés, sont transportés à la cuverie des Hospices où se fait la vinification qui est surveillée avec une grande attention par la direction. Peu après le début de la fermentation, le marc remonte à la surface des cuves alors que le jus, lui, reste au fond. Le vinificateur doit alors régulièrement « piger » ce chapeau solide, autrement dit l'enfoncer, pour permettre au tanin et aux matières colorantes de se libérer au contact du jus. Au bout de 10 à 13 jours passés en cuve, le jus est mis en fûts dans des tonneaux de chêne neufs. Là encore, c'est un choix coûteux mais qui tend à obtenir la meilleure qualité en donnant au vin ce fameux tanin, signature des grands et nobles crus. Le marc et les eaux de vie sont distillés et, tout comme les vins, sont mis en vente aux enchères, mais l'année suivante.

Les Hospices de Beaune possèdent 39 cuvées portant les noms des plus grands bienfaiteurs :

• **Auxey-duresses, cuvée Boillot :** en 1898, Antoinette Boillot fit don aux Hospices de son domaine sur Auxey-Duresses, Meursault et Volnay ;

• **Batard-montrachet, cuvée Dames de Flandres :** les Hospices ont acquis, en 1989, une parcelle de sept ouvrées de ce grand cru et ont décidé de donner à cette cuvée le nom de Dames des Flandres pour rappeler l'origine de la communauté des sœurs hospitalières de l'Hôtel-Dieu ;

A l'entrée du couvent des Cordeliers, dont les liens avec l'Hôtel-Dieu ne sont plus à démontrer, ces bouteilles témoignent aujourd'hui encore de l'implication spirituelle du vin dans la vie des Hospices.

65

• **Beaune, cuvée Chancelier Nicolas Rolin :** l'œuvre philanthropique qu'il a créée lui donne droit à l'admiration et à la reconnaissance de tous. Cette cuvée s'est accrue, en 1963, d'un legs fait par Mme Maurice Pallegoix, en souvenir de son mari, qui fut maire de Demigny ;

• **Beaune, cuvée Guigone de Salins :** elle a participé, par sa fortune, à la fondation de l'Hôtel-Dieu et, jusqu'à sa mort, elle se consacra avec un grand dévouement à l'œuvre de son mari ;

• **Beaune, cuvée Rousseau-Deslandes :** les nobles époux de ce nom sont les fondateurs de l'Hospice de La Charité de Beaune qui, depuis trois siècles, a rendu les plus grands services aux déshérités ;

• **Beaune, cuvée des Dames hospitalières :** depuis plus de cinq siècles, les dames hospitalières ont rendu d'éminents services aux malades pauvres. En outre, plusieurs d'entre elles ont fait des legs importants au profit de l'œuvre à laquelle elles se sont vouées ;

• **Beaune, cuvée Bétault :** Hugues Bétault, le conseiller secrétaire du roi, et son frère Louis, en 1615, établirent, de leurs deniers, l'infirmerie des femmes et la grande salle Saint-Louis affectée aux malades hommes. Ces donations princières faites à l'Hôtel-Dieu contribuèrent à l'agrandissement de la Maison des pauvres ;

• **Beaune, cuvée Brunet :** cinq membres de cette honorable et charitable famille ont fait, à diverses époques, des legs au profit des malades ;

• **Beaune, cuvée Maurice Drouhin :** Maurice Drouhin, après avoir été longtemps administrateur, exerça les importantes fonctions de vice-président de la commission administrative des Hospices, de 1941 à 1955. Son attachement à l'Hôtel-Dieu était si grand qu'il tint à le manifester d'une façon durable par le don d'un important vignoble situé dans les meilleurs crus de Beaune ;

• **Beaune, cuvée Cyrot-Chaudron :** les époux Cyrot-Chaudron firent don, en 1979, d'un

Un peu partout dans la région de Beaune, les Hospices ont bénéficié de legs qui ont fait de leur domaine viticole l'un des plus remarquables du monde. Récemment, ce domaine a même été augmenté (c'est une première) par des vignes à Pouilly-Fuissé. Mais l'essentiel de ses propriétés est réuni dans la région beaunoise.

important domaine en vignes fines sur Beaune et Pommard, pour le soulagement des malades de l'hôpital ;

• **Beaune, cuvée Clos des Avaux :** ces vignes appartenaient, avant la Révolution, à l'Hospice de La Charité ;

• **Clos de la roche, cuvée Georges Kritter :** les Hospices ont acquis, en 1991, une parcelle de ce grand cru de Morey-Saint-Denis grâce à la réalisation d'un legs de Mme Georges Kritter et suivant les volontés de celle-ci ;

• **Clos de la roche, cuvée Cyrot-Chaudron :** en 1991, les époux Cyrot-Chaudron ont fait un don aux Hospices pour leur permettre d'agrandir leur nouvelle vigne acquise grâce au legs précédent ;

• **Corton, cuvée Charlotte Dumay :** cette bienfaitrice légua, en 1584, un domaine de cent ouvrées en vignes et terres à Aloxe-Corton ;

• **Corton, cuvée Docteur Peste :** respectueuse du désir exprimé par son père, au temps où il était médecin à l'Hôtel-Dieu, Mme la baronne du Bay a donné à l'institution le domaine en crus classés qu'elle possédait à Aloxe-Corton. Cette cuvée s'est accrue, en 1965, de la donation faite par Mme Marcel Fournier en souvenir de son mari et de ses oncle et tante, M. et Mme Thévenot-Bussière ;

• **Corton-charlemagne, cuvée François de Salins :** très attaché à l'Hôtel-Dieu, François de Salins lui légua, en 1745, son domaine viticole situé à Aloxe-Corton et Savigny ;

• **Corton-vergennes, cuvée Paul Chanson :** ce bienfaiteur a légué, en 1974, une parcelle de vigne encépagée en pinot blanc « chardonnay » ;

• **Mazis-chambertin, cuvée Madeleine Collignon :** cette donation a été faite en souvenir de M. et Mme Marcel Thomas-Collignon ;

• **Meursault, cuvée Jehan Humblot :** le notaire de ce nom, résidant à Beaune, désireux de contribuer au soulagement des malades, donna à l'Hôtel-Dieu, en 1600, sa seigneurie de Laborde-au-Bureau ;

Peu de bouteilles dans les caves des Hospices, seulement des barriques de chêne. Explication : l'élevage sera fait par les acheteurs et la quasi totalité de la production est vendue aux enchères.

66

• **Meursault, cuvée Loppin :** plusieurs membres de cette famille firent don, à différentes époques, de capitaux et d'immeubles à l'Hôtel-Dieu et à La Charité ;

• **Meursault, cuvée Goureau :** Mlle Goureau lègue à l'Hospice de La Charité plusieurs domaines situés sur les finages de Masse, Corcelles, Mimande, Chaudenay, Ebaty et Demigny ;

• **Meursault-charmes, cuvée Louis de Bahezre de Lanlay :** ce bienfaiteur, ancien inspecteur des télégraphes aériens, légua sans réserve toute sa fortune aux Hospices de Beaune. Cette libéralité a permis d'édifier le premier pavillon de chirurgie et d'un bâtiment destiné aux vieillards ;

• **Meursault-charmes, cuvée Albert Grivault :** les époux Grivault firent donation, en 1904, d'une vigne au profit des malades ;

• **Meursault-genevrières, cuvée Baudot :** le savant antiquaire de Bourgogne et sa famille firent don, en 1880, d'une riche collection d'objets d'art et d'antiquités. Le produit de la vente de cette collection a été, selon le désir des donateurs, attribué à l'Hospice de La Charité ;

• **Meursault-genevrières, cuvée Philippe le Bon :** le duc de Bourgogne, Philippe le Bon, aida de toute son autorité le chancelier Nicolas Rolin dans la réalisation de son œuvre de bienfaisance ;

• **Monthelie, cuvée Jacques Lebelin :** les époux Lebelin firent don, au début du siècle dernier, d'une somme importante pour le soulagement des malades pauvres de l'Hôtel-Dieu ;

• **Pernand-vergelesses, cuvée Rameau-Lamarosse :** la dernière descendante de cette vieille famille bourguignonne légua sa maison et ses vignes aux Hospices et à son village natal ;

• **Pommard, cuvée des Dames de La Charité :** indépendamment des soins dévoués que les sœurs de La Charité prodiguent aux vieillards et aux orphelins, services qui, à eux seuls, justifieraient le droit à la reconnaissance, plusieurs d'entre elles ont légué leurs biens personnels à l'établissement ;

• **Pommard, cuvée Billardet :** les docteurs de ce nom ont été les organisateurs du service chirurgical de l'hôpital. Les filles et petites-filles de ces chirurgiens ont largement contribué aux œuvres de bienfaisance de la cité ;

• **Pommard, cuvée Raymond Cyrot et cuvée Suzanne Chaudron :** les époux Cyrot-Chaudron firent don, en 1979, d'un important domaine en vignes fines sur Beaune et Pommard, pour le soulagement des malades de l'hôpital ;

• **Pouilly-Fuissé, cuvée Françoise Poisard :** à son décès, en 1994, Françoise Poisard a légué aux Hospices une propriété comprenant deux maisons et un ensemble de terres et de vignes, dont quatre hectares de pouilly-fuissé ;

• **Savigny-lès-beaune, cuvée Arthur Girard :** ce bienfaiteur légua, en 1936, une partie de ses biens aux Hospices ;

• **Savigny-lès-beaune, cuvée Forneret :** notable famille de Beaune qui légua à l'Hospice de La Charité un domaine situé à Savigny et Pernand ;

• **Savigny-lès-beaune, cuvée Fouquerand :** Denis-Antoine Fouquerand fit une donation à l'Hôtel-Dieu le 8 février 1844. Son épouse, Charlotte-Claudine Bonnard avait déjà fait un testament au profit de La Charité le 1er mai 1832 ;

• **Volnay, cuvée Blondeau :** le généreux bienfaiteur François Blondeau donna à l'hospice de La Charité un domaine sur Volnay, Pommard, Monthelie, Bligny et Beaune ;

• **Volnay, cuvée Général Muteau :** généreux bienfaiteur qui a donné aux Hospices un très important domaine à Laborde-au-Château ;

• **Volnay-santenots, cuvée Jehan de Massol :** ce conseiller du roi au Parlement de Bourgogne, par son testament du 6 février 1669, dit : « *Je nomme et institue mes héritiers au rendu de tous mes biens, les pauvres du Grand-Hospital de la ville de Beaune* ». Le legs comprenait des domaines à Meursault, Demigny et Travoisy ;

• **Volnay-santenots, cuvée Gauvain :** en l'année 1804, M. Bernard Gauvain légua à La Charité la totalité de ses biens ; sa veuve, quelques années plus tard, donna au même établissement son hôtel à Beaune et ses domaines de Chivres et de Laborde-au-Bureau.

Le vin doit être élevé en Bourgogne et lorsqu'il sera mis en bouteilles la mention « Hospices de Beaune » figurera sur les étiquettes au coté du nom de l'acheteur.

Vente des vins

BACCHUS ET DIEU RÉUNIS

La vente aux enchères s'inscrit dans trois journées de fête au cours desquelles les visiteurs peuvent assister à des défilés.

La tradition est respectée : le commissaire priseur arrêtera les enchères lorsque les bougies, dont la taille peut varier, seront éteintes.

Depuis ses origines ou presque, l'Hôtel-Dieu de Beaune est propriétaire de vignes. Le vin qui y est produit a d'abord été vendu de gré à gré, à l'amiable, et ce jusqu'à la Révolution. Les choses se sont un peu structurées à partir de 1794, année de la première vente de la récolte par soumissions cachetées. La mise en vente de la récolte était alors annoncée par voix d'affiches et les négociants proposaient leur prix sur un papier glissé dans une enveloppe. Le plus offrant l'emportait à condition qu'il ait indiqué un prix minimum fixé par l'administration. Si personne n'avait atteint ce seuil plancher, la vente était reportée à une date ultérieure. Ce n'est qu'à partir de 1820 que les administrateurs se sont intéressés à la forme de vente qui a fait la réputation de l'institution, la vente aux enchères publiques. Il a fallu plusieurs années pour que ce système fonctionne bien, le temps que les vins soient mieux connus. C'est l'économe des Hospices, Joseph Petasse, qui a beaucoup fait pour leur renommée.

Cet homme, qui était aussi poète, a voyagé à travers la France, la Belgique, les Pays-Bas et l'Allemagne pour démarcher les éventuels acheteurs. En deux ans, il a réussi à vendre la totalité du vin qui était en stock aux Hospices. A l'issue de son périple, en 1851, il a déclaré aux administrateurs : « *Messieurs, vous pouvez reprendre, dès cette année, la vente aux enchères publiques ; il est désormais inutile de nous déranger, la clientèle est faite, nos vins sont connus et ce sont maintenant les amateurs qui viendront à nous* ». Remarquable de lucidité, Joseph Petasse n'avait peut-être pas imaginé, cependant, l'ampleur que prendrait cette vente annuelle qui débuta vraiment, sous les formes que l'on connaît aujourd'hui, en 1859.

Fixée au troisième dimanche de novembre depuis 1924, la vente a d'abord été organisée dans la cour d'honneur de l'Hôtel-Dieu. En 1925, et jusqu'en 1958, elle s'est déroulée à la cuverie. Devenue un événement international, attirant acheteurs ou simples curieux venus du monde entier, il a fallu la transférer à la halle de Beaune, en 1959. Comme le principe de base des Hospices de Beaune est la production de vins de grande qualité, il faut noter que la vente a dû être annulée certaines années, dont 1956 et 1968, deux millésimes qui ne sont pas restés dans les annales.

Ce dimanche de novembre fait partie des « Trois Glorieuses » : il est précédé, la veille, d'une tenue solennelle de la confrérie des Chevaliers du Tastevin, au clos Vougeot, et il est suivi, le lundi, de la « Paulée » de Meursault. En réalité, cette manifestation inoubliable, dès lors qu'on y a participé une fois, commence le vendredi avec la dégustation, par les acheteurs et les professionnels, des vins qui vont être proposés à la vente.

Le jour fatidique, le maire de Beaune (qui est avant tout, à cette occasion, le président du conseil d'administration des Hospices), les administrateurs, le directeur et ses collaborateurs ainsi que le commissaire-priseur accueillent la personnalité qui a été choisie pour être président d'honneur de la vente. Jusqu'au milieu des années soixante-dix, plusieurs membres des familles royales européennes ont occupé ce fauteuil honorifique : Otto de Habsbourg, la princesse Margrethe (devenue, depuis, reine du Danemark), le duc de Kent… Il est fait appel, depuis quelques années, à des personnalités du monde des arts et des lettres comme Rostropovitch, Lino Ventura, Carole Bouquet, Florence Arthaud, Barbara Hendrix ou Catherine Deneuve.

Les officiels installés à la tribune et les acheteurs dans la salle, la vente à la bougie peut commencer. Les enchères, qui ne doivent pas être inférieures à 1 000 F, se poursuivent pendant la durée de deux feux, soit la combustion de deux bougies. Celles-ci ont une longueur variable, déterminée par le commissaire-priseur, selon l'importance des offres qui sont faites. En fait, il s'agit plus de maintenir une tradition que d'influer sur la vente. La personnalité invitée se voit offrir une pièce de vin, soit

l'équivalent de 300 bouteilles, qu'elle remet en vente immédiatement. L'argent recueilli – plusieurs centaines de milliers de francs – est versé à l'association qu'elle a choisi de parrainer. Hormis cette pièce particulière, toutes les cuvées sont vendues par lots. Le montant des enchères est très attendu par tous les professionnels du vin, qui trouvent là un premier indicateur des cours de l'année. Bien sûr, le vin est vendu plus cher qu'il ne le sera jamais par n'importe quel autre négociant, puisqu'il s'agit d'une œuvre de charité, mais cette vente donne tout de même une tendance.

Aussi, est-il capital pour les acheteurs, souvent des négociants, de réussir à obtenir du vin des Hospices de Beaune qui, ce jour-là, se trouve placé sous les feux des média. C'est une excellente publicité pour leur maison. Pour obtenir ensuite le droit d'accoler leur nom à la précieuse mention « Hospices de Beaune » sur les étiquettes de leurs bouteilles fournies par l'administration des Hospices, les heureux acquéreurs doivent respecter un certain nombre d'obligations. Ils sont notamment contraints d'élever le vin en Bourgogne vinicole et de le mettre en bouteilles bourguignonnes traditionnelles de 75 centilitres.

Comme toujours en Bourgogne, la vente s'achève autour d'une table de renom, dans le cadre médiéval du Bastion des Hospices. Un repas de gala aux chandelles bien évidemment arrosé comme il se doit.

Chaque année, une personnalité prestigieuse préside la vente des vins des hospices de Beaune. En 1995, Catherine Deneuve a été choisie pour occuper cette fonction honorifique.

Les acheteurs venus du monde entier ne rateraient pour rien au monde cette vente de charité qui sert aussi d'indicateur pour le cours des vins de l'année

L'hôpital aujourd'hui

L'ESPRIT ROLIN ENCORE PRÉSENT

Le docteur Larfouilloux veille sur les enfants atteints de divers handicaps et accueillis au centre de guidance infantile des hospices.

A l'ombre des toits recouverts des tuiles vernissées, la maison de retraite de l'Hôtel-Dieu peut recevoir, avec celle de la Charité, 174 personnes âgées dans un cadre de verdure.

S
I L'HÔTEL-DIEU n'accueille plus de malades, l'institution, cependant, fonctionne toujours. Même si une partie des pensionnaires de l'hospice continuent à vivre dans un bâtiment jouxtant l'Hôtel-Dieu, la structure hospitalière, pour des raisons pratiques, a quitté les anciens locaux, qui n'étaient plus adaptés, pour éclater en divers endroits de la ville. Doté d'un équipement ultra-moderne, le centre hospitalier Philippe-le-Bon assure le relais en matière de soins. D'une capacité de 226 lits, il

dispose d'un matériel technique que lui envient nombre de villes de dimension équivalente à Beaune, et même de plus grandes. Depuis 1989, par exemple, il est équipé d'un scanner qui a pu être financé grâce au produit de la vente des vins et aux entrées payées par les visiteurs qui sont passés par l'Hôtel-Dieu. L'établissement est, par ailleurs, capable de recevoir des malades dans toutes les disciplines hospitalières. Juste à côté, dans un autre bâtiment ultra-moderne, le Centre Nicolas Rolin peut recevoir 90 personnes âgées

dépendantes pour des longs séjours et 30 patients pour des moyens séjours consacrés à la convalescence ou à la rééducation.

Au centre de la ville, une deuxième maison de retraite est installée à l'Hospice de la Charité. Cette maison et celle de l'Hôtel-Dieu peuvent accueillir à elles deux 174 résidents. Contigu à La Charité, des bâtiments sont également destinés à recevoir des enfants souffrant de handicaps divers : c'est le Centre de guidance infantile.

Pour compléter cet ensemble, il faut noter

l'existence d'un institut de formation aux soins infirmiers et un centre de formation pour les aides-soignants. Tous ces élèves et tous les soignants qui accompagnent les gens qui souffrent, perpétuent le souvenir des sœurs hospitalières qui ont tant fait pour le bien-être des malades et des vieillards depuis que Nicolas Rolin a fondé l'établissement au XVᵉ siècle.

Depuis 1993, la direction des Hospices a également mis sur pied un service d'aide médicalisée destiné aux plus démunis, à ceux qui ne fréquentent même plus les cabinets médicaux, et encore moins les hôpitaux. Installée au centre de Beaune, cette antenne de l'hôpital a pour but d'aller à leur rencontre, de ne pas attendre qu'il soit trop tard pour intervenir. Animé par un personnel dévoué, ce service s'est fixé pour but de redonner aux plus malheureux leur dignité, première étape sur le chemin de la réinsertion sociale. Cette activité des Hospices de Beaune représente un symbole : elle est vraiment la continuation de l'œuvre de Nicolas Rolin, dans l'esprit et dans la forme.

Il est bien évident que toutes ces actions et tous ces investissements n'auraient pu être réalisés sans le domaine des Hospices. Les recettes de la vente des vins et les entrées payantes du musée viennent améliorer de façon considérable le potentiel du budget de l'hôpital. Celui-ci a pu ainsi réaliser de grosses dépenses d'équipement sans que le malade ne soit mis à contribution.

Tout est mis en œuvre pour permettre aux enfants de s'épanouir.

75

Toutes les disciplines médicales sont représentées dans ce nouvel hôpital qui, bien que moderne, continue à fonctionner selon les principes de charité édictés par Nicolas Rolin, le fondateur de l'Hôtel-Dieu.

Les habitations qui entourent
la collégiale forment un cercle.
Elles reconstituent, aujourd'hui encore,
les limites de Belna,
le premier castrum de Beaune.

Un destin à la croisée des chemins

Acte I : **A la source de Belna**

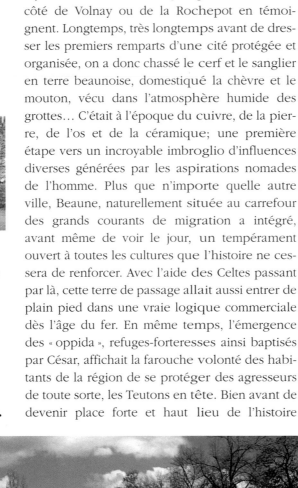

BEAUNE, avec ses remparts dignes et éternels, n'a pas toujours été la forteresse que l'on se plaît à décrire. Dans les temps reculés de la préhistoire, l'homme avait déjà trouvé en ces lieux l'espoir d'y bâtir une existence. Quelques dolmens du côté de Volnay ou de la Rochepot en témoignent. Longtemps, très longtemps avant de dresser les premiers remparts d'une cité protégée et organisée, on a donc chassé le cerf et le sanglier en terre beaunoise, domestiqué la chèvre et le mouton, vécu dans l'atmosphère humide des grottes… C'était à l'époque du cuivre, de la pierre, de l'os et de la céramique; une première étape vers un incroyable imbroglio d'influences diverses générées par les aspirations nomades de l'homme. Plus que n'importe quelle autre ville, Beaune, naturellement située au carrefour des grands courants de migration a intégré, avant même de voir le jour, un tempérament ouvert à toutes les cultures que l'histoire ne cessera de renforcer. Avec l'aide des Celtes passant par là, cette terre de passage allait aussi entrer de plain pied dans une vraie logique commerciale dès l'âge du fer. En même temps, l'émergence des « oppida », refuges-forteresses ainsi baptisés par César, affichait la farouche volonté des habitants de la région de se protéger des agresseurs de toute sorte, les Teutons en tête. Bien avant de devenir place forte et haut lieu de l'histoire

Beaune sans la Bouzaise n'aurait sans doute jamais existé. C'est une des sources de la rivière qui a donné à la ville son nom. Autrefois, la Bouzaise traversait Beaune à ciel ouvert, suivant le tracé aujourd'hui recouvert par l'avenue de la République.

médiévale, le pays beaunois fut donc un acteur naturel de la grande Histoire de la Bourgogne.

Une histoire dont les variations reprennent le même thème du carrefour routier à l'époque Eduenne. Sous l'influence de l'acropole Bibracte - le mont Beuvray, près d'Autun -, les Beaunois-Eduens sont bien souvent des éleveurs de chevaux. Ils tirent profit de la croisée des chemins vers laquelle ils sont installés.

Chalon et sa rivière, non loin de là, cultivent leur destin de grand comptoir commercial. Le pays beaunois est l'étape terrestre suivante pour toutes

81

Dans un espace restreint, Beaune affiche une étonnante richesse historique. Le palais ducal *(au premier plan, photo en haut de page)* **semble vouloir rivaliser de fierté avec le dôme de la collégiale.**
Tout près, dans les locaux de la maison Drouhin *(ci-dessus)*, **un morceau du castrum de Belna a franchi les siècles dans la dignité.**

les marchandises, exotiques et autres, qui vont en direction de la Lingonie et de la haute Seine. Les vins, signe avant-coureur, viennent d'Italie. Ils sont échangés contre de magnifiques productions artisanales locales.

Des petits groupes stationnent alors sur la Montagne et près des sources. L'une d'elles, source pérenne abondante qui alimentera toujours la Bouzaise vingt siècles plus tard, porte le nom de Belna. Emprunté à Belenos, dieu gaulois des eaux, ce nom inspirera celui de Beaune. Nous sommes en 52 avant J-C.

Une position géographique aussi privilégiée n'est pas pour autant synonyme de grande quiétude. A la demande des Eduens, César doit en effet « faire le ménage » dans le secteur, renvoyant chez eux Helvètes et Suèves, gérant du mieux qu'il peut la volte-face de Vercingétorix, avec le légendaire épisode d'Alésia, à quelques lieues de là. La paix romaine s'installe ensuite, prélude à ce que l'on appellera la civilisation gallo-romaine. La « voie d'Agrippa », reliant Lyon à la frontière rhénane, et celle qui mène d'Augustudunum (Autun) à Vesontio (Besançon), se croisent tout près de

L'église Saint-Nicolas
(XIIᵉ/XIIIᵉ siècles),
symbole de l'ancien
faubourg de Dijon,
avec son clocher de forme
pyramidale (XVᵉ siècle)
et sa voûte à nervures
croisées, est l'un des plus
attachants édifices de ce
village de vignerons
à l'extérieur des remparts
de Beaune.

82

Derrière les murs
de la ville, il y a les cours.
Ce point de vue
sur l'organisation
complexe de l'habitat à
l'intérieur des remparts
a été pris depuis
l'hôtel Le Cep.

Belna. Deux mille ans avant le célèbre "entonnoir" autoroutier qui contribuera largement autant que le vin et les Hospices à la notoriété de Beaune, la ville naissante s'installe un peu mieux dans son rôle d'incontournable étape de la transhumance.

Plus tard, le Haut-Empire prolonge cette période prospère pour la vie locale, ainsi qu'en témoigneront un certain nombre de stèles mises au jour par les fouilles archéologiques. Les grandes villas environnantes vivent de leurs céréales, fruits, légumes et élevages divers ; les artisans se spécialisent dans la fabrication de véhicules et d'étoffes de laine et de chanvre ; la vigne, enfin, fait vraisemblablement son apparition au IIe siècle. Les étudiants en provenance de l'Est se déplacent massivement en direction de la célèbre école d'Eumène à Autun. Le sel, le plomb, les poteries d'Auvergne et de Rhénanie, les œuvres d'art d'Italie et de Grèce, les huiles de Bétique et plein d'autres choses encore circulent librement créant bien avant l'ère de Bison futé un impressionnant trafic de véhicules dans la région… Cet environnement hautement commercial a toutefois ses revers. Il finit par fragiliser les défenses de la Gaule, ouvrant la porte aux Alamans et aux Francs. La fin du IIIe siècle, en proie à de nombreux tourments, est source de destruction puis de lente reconstruction. Les castra, enceintes de protection auxquelles l'embryon urbain de Beaune n'échappe pas, font donc leur apparition. Les vestiges des temples renversés par les Barbares et les Bagaudes servent à la construction du premier castrum, sage précaution en prévision des invasions futures. De nombreuses tours flanquent une muraille d'une épaisseur de plus de cinq mètres. Celle-ci deviendra à terme le quartier de Notre-Dame.

Vers la fin du IVe siècle, aussi mouvementé que le précédent, saint Martin l'évangélisateur traque

les cultes ancestraux gallo-romains. Sous son influence, le castrum de Belna est converti au christianisme. Une première chapelle, à la source de l'Aigue, sur les ruines du temple d'Apollon Belenus le fait savoir. Avec l'amorce du christianisme, de la liberté de culte pour les chrétiens, commence l'époque burgonde et mérovingienne. Le Beaune d'aujourd'hui dessine ses premiers traits.

Acte II : **Rapt au château**

Les Burgondes, dont la présence semble sécurisante face aux agressions diverses, sont bien accueillis par les sénateurs gaulois. Ils s'installent à Beaune vers 470. On peut même parler de prospérité et d'entente cordiale entre les deux populations qui parviennent à se partager l'exploitation du sol, sans grand dommage pour les « occupés ». De grands domaines sénatoriaux subsistent de part et d'autre, autour du castrum belnense, seule agglomération connue dans la région. Challanges, Meursanges, Jallanges et quelques autres villages et hameaux sont les premiers témoignages d'une certaine germanisation des noms. Le pays beaunois saura même préserver longtemps ses us et coutumes gallo-burgondes. Ce calme dans la tempête servira bien le sort de Beaune, au cœur d'une Bourgogne que se disputeront les princes mérovingiens.

Le castrum, d'une superficie de deux hectares, abrite tout au plus un millier d'habitants. A l'intérieur, on frappe de la monnaie. A l'extérieur, dans

Les ducs capétiens ont fait de Beaune leur résidence principale, entre la rue du Paradis et la rue d'Enfer. C'est aujourd'hui le musée du Vin qui occupe les lieux.

L'ancienne maison communale (à gauche), **avec ses tours latérales, occupait autrefois la place Monge. Le projet de porte de la Bretonnière, tel qu'il fut présenté** (ci-dessus), **ne vit jamais le jour.**

L'échauguette de la Maison du Colombier, tout près de Notre-Dame.

l'agglomération naissante, des marchés et des quartiers de marchands s'organisent. Le faubourg Saint-Martin est sans aucun doute le premier à voir le jour, avant ceux de Bretonnière (de breton, qui signifiait « gueux » à l'époque) et de Bourg-Neuf (futur quartier Saint-Nicolas). Des fouilles révéleront aussi l'existence d'un vaste cimetière de six hectares, à l'est du castrum, qui aurait accueilli quinze mille « pensionnaires » en deux siècles. Par voie de déduction, cela correspondrait à une population globale d'environ deux mille habitants.

Mais les temps changent et l'aristocratie s'octroie de plus en plus de privilèges, dont la levée de l'impôt et une justice décentralisée qui relevait jusque-là, des prérogatives du comte en place. Les « hommes libres », de plus en plus dépendants des dominants, cèdent du terrain. L'Eglise s'enrichit elle aussi. Le pays beaunois ou pagus bel-

nensis, comme il est désigné pour la première fois, dépend directement de l'évêché d'Autun. Les premières églises apparaissent : Saint-Etienne, dont les ruines seront cédées au XVIᵉ siècle aux Carmélites, est desservie par une petite communauté de clercs ; Saint-Martin-de-l'Aigue accueille quelques moines. Partout, dans les grands domaines, il y a des chapelles. L'église du castrum est celle d'un archidiaconé, l'un des tout premiers de la région. La dégradation de la monarchie mérovingienne s'accompagnera aussi de transformations importantes sur le plan religieux, à Beaune tout particulièrement. Ainsi, en 731, quatre-vingts moines d'une abbaye de Nîmes, affolés par les raids sarrasins, demandent asile. Ils fuient en emportant avec eux les reliques de saint Baudèle. Celles-ci trouvent refuge dans l'église castrale qui prendra le nom du saint.

Le jour où Mandrin vit le beffroi

Le beffroi est, à de nombreux égards, une figure emblématique de la ville de Beaune. Dressé aux abords de la place Monge, il s'impose fièrement comme le gardien d'une tradition ancrée dans les siècles des siècles. Son histoire est riche en anecdoctes. Déjà, en 1395, on signale l'existence d'une tour qui fait l'objet d'un drôle de troc : en échange de l'exemption de la déclaration des vins qu'ils font entrer dans Beaune, les moines de l'abbaye de Maizières acceptent de céder l'édifice à la ville. Deux ou trois ans plus tard, certains documents font état du souhait, de la part des Beaunois, de doter la tour *« d'une Oroloige, que l'on pourra oïr par toute la ville »*. C'est ainsi que naît le beffroi, *« frère des beffrois de Douai et de Gand »*, d'une tour vraisemblablement réhaussée. L'inspiration flamande préside naturellement à la réalisation du bâtiment, qui hérite d'une architecture un peu plus riche, comme on commence à la pratiquer au XVᵉ siècle. Avec le temps, il subit diverses transformations, recevant ainsi un Mercure au bout de sa lance en lieu et place de la Vierge en 1602, puis un globe de cuivre symbolisant les phases de la lune. Mais, en 1750,

une délibération municipale annonce que l'édifice sera tombé pour y construire une prison. La population et, surtout, les limites des finances de la ville mettront heureusement un terme au funeste projet.

De nombreux « gouverneurs de l'horloge » se sont jusqu'alors succédé dans cette tour où ils logent, pour rythmer le temps des Beaunois et sonner le rassemblement. Le tocsin, tout proche de la maison commune (aujourd'hui place Monge), accompagne régulièrement les événements locaux. En 1595, il informe qu'il faut *« courir sus aux ligueurs »*. Il se fait entendre à chaque fois que le feu prend dans une maison de Beaune, une ville à jamais traumatisée par le souvenir de l'incendie qui la ravagea complètement en 1401. Mais c'est surtout le même tocsin qui annonce, un certain 18 décembre 1754, l'arrivée de Mandrin. Le redouté capitaine des contrebandiers fait irruption dans la cité. Ayant établi ses quartiers dans le faubourg Madeleine, à l'extérieur des remparts, le célèbre bandit négocie une rançon avec Pierre Gillet, un maire heureusement tenace. M. de Saint-Félix, receveur du grenier à sel (la cour de son hôtel,

au 32 rue de Lorraine, fait partie des endroits à ne pas manquer), est aussi retenu de force. Il en coûtera finalement 20 000 livres aux bourgeois de Beaune sur les 25 000 initialement demandées par l'effronté.

C'est aussi la dernière campagne de Mandrin ; après avoir pillé d'autres villes de la région, il se retirera blessé en Savoie. Trahi, ce Robin des Bois à la française, que l'on disait séduisant avec les dames et généreux avec les pauvres, sera arrêté puis condamné par le tribunal de Valence à l'atroce supplice de la roue, le 26 mai 1755.

Puis les héritiers de Charles Martel embarquent les Bourguignons de Beaune et d'ailleurs sur les terres lointaines. Charlemagne, finalement, parvient à s'imposer en constructeur du pays. Sous sa tutelle, Beaune est confiée aux mains d'un comte ou d'un vicomte entouré d'une solide cour de justice. Le pagus belnensis semble assez bien loti. Ses dirigeants, efficaces et honnêtes, n'abusent pas de leur situation pour s'adonner à des exactions, coutumières par ailleurs.

Droits de gîte et de passage constituent une excellente source de revenus. Durant cette période paisible en apparence, l'agriculture se développe, les villages regroupés autour de leur église se multiplient. Ville frontalière entre la « France occidentale » de Charles le Chauve et la « Lotharingie », Beaune est prospère au milieu du IXᵉ siècle. Le répit, cependant, est de courte durée. La faiblesse de l'empereur Charles le Gros face aux Normands entraîne le pillage de la Bourgogne…

Les Franco-Bourguignons sont heureusement les champions de la résistance. Les reliques de saint Flocel, ramenées d'une victoire au Mans par les Beaunois, en fournissent la preuve. Aussi Richard le Justicier et ses trois fils, solidement installés à la tête du duché, parviennent-ils à maintenir le calme localement. Ils prennent le pas sur les derniers Carolingiens, jusqu'à l'apparition du premier duc capétien de Bourgogne, Otton, qui fait du château de Beaune, dans l'enceinte de la ville, sa résidence favorite. L'aventure ducale beaunoise démarre alors sur un rythme soutenu, par une anecdote savoureuse, assez révélatrice des mœurs de l'époque.

En 958, Raoul III, comte de Dijon, enlève en effet par surprise le domicile de son voisin et épouse, sans la consulter, la duchesse. Ce rapt désinvolte, doublé de « noces » pas très catholiques, irrite le jeune Otton. Légitimement, l'impé-

tueux s'acquitte aussitôt de sa vengeance et récupère ses « biens » !

Les ducs vont désormais se succéder à Beaune. A commencer par Henri Iᵉʳ. Vers l'an 1000, celui-ci rêve déjà d'une basilique indépendante de la juridiction épiscopale d'Autun. Cluny commence en effet à exercer une certaine influence dans la rénovation du monachisme, et le premier art roman bourguignon révolutionne l'architecture. Mais Henri ne verra pas le début de la construction de Notre-Dame qui démarrera, en réalité, au XIIᵉ siècle.

Acte III : **Féodale et cléricale**

Alors que la société féodale prend réellement forme, avec son lot de chevaliers et de seigneurs, le clergé affirme ses prétentions. Les uns sont guerriers protecteurs des églises, les autres prient et s'imposent. La troisième catégorie, celle des manants, travaille. Dans les villes comme Beaune, se profile une population intermédiaire : les bourgeois.

Après une courte période de famine, le patrimoine religieux renaît de ses cendres. Le prieuré Saint-Etienne et la petite abbaye de Saint-Martin-d'Aigue sont reconstruits. A l'extérieur du castrum apparaissent les églises Saint-Pierre (place Carnot actuellement) et celle dédiée à saint Martin. Elles disparaîtront trois siècles plus tard. Une chapelle (rue du Paradis aujourd'hui) est tout spécialement

Vu du ciel, le château de la Creusotte ne manque pas d'allure. Il vaut aussi le détour pour ses caves superposées (XIXᵉ siècle).

85

Place de la halle (*à gauche*), **cette cour se situe derrière le magasin d'antiquités. Place Monge** (*ci-dessous*), **la cour Lévitte fut celle d'un superbe hôtel de la Renaissance érigé en 1522 par un riche drapier… à une époque où la famine régnait dans la ville.**

En passant sous la porte Saint-Nicolas, on emprunte la rue de Lorraine qui débute avec la chapelle de l'Oratoire et se poursuit avec ses maisons anciennes aux façades remarquables (*en bas à droite*). **Chaque détail, porte ou sculpture d'échoppe, à l'angle des rues de Lorraine et Rousseau-Deslandes** (*ci-dessus*), **est source d'étonnement.**

construite à flanc de castrum pour y recevoir les reliques de saint Flocel et de saint Herné.

Parallèlement, les Beaunois participent activement aux pèlerinages qui se multiplient sur les chemins de Rome et de Saint-Jacques-de-Compostelle. D'autres vont même jusqu'en Terre sainte. Vient le temps des longues et périlleuses croisades. Les hommes meurent, les nobles se ruinent, l'abbaye de Cluny se développe sous le poids des dons. Mais c'est aussi, en 1098, la fabuleuse naissance de Cîteaux. Plusieurs personnages du pays beaunois y contribuent largement.

Cîteaux, au XIIe siècle, est une étape incontournable pour les croisés venus du Nord. Le va-et-vient incessant des abbés des monastères de toute l'Europe chrétienne, créé par les disciples de saint Bernard, incite à la multiplication des constructions ambitieuses. C'est à cette époque, notamment, que Notre-Dame de Beaune sort de terre, parallèlement à Cîteaux, Maizières, Saint-Vivant de Vergy, la Bussière-sur-Ouche, Sainte-Marguerite-lès-Bouilland, les commanderies du Temple ou des Hospitaliers, etc.

Notre-Dame et son collège de chanoines imposent rapidement leur primauté sur les autres églises de la ville. Saint-Baudèle et Saint-Etienne sont reléguées à des rôles de second plan. Nous commentons par ailleurs le long déroulement méconnu de la construction de cette basilique qui doit beaucoup, dans un premier temps, à l'influence de Cluny, dont se réclame alors l'évêché d'Autun, et surtout à la grande générosité de la duchesse Mathilde, épouse d'Hugues II. Elle servira aussi de modèle à la construction de l'abbaye Sainte-Marguerite de Bouilland dont il subsiste quelques vestiges. Mais la rivalité orageuse entre le duc Hugues III et le seigneur voisin de la puissante forteresse de Vergy (vers Nuits-Saint-Georges) met le pays à feu et à sang à la fin du XIIe siècle. La troisième croisade ne fera rien pour arranger les affaires financières ducales…

Eudes III, successeur d'Hugues II, s'en retrouve endetté. En échange des contributions des chanoines et des bourgeois locaux, il doit céder une charte d'affranchissement à la ville de Beaune, en 1203. Les croisades, sources de dons pour les ecclésiastiques, et de travail pour les autres, ont en effet profondément modifié la répartition des richesses foncières. Indirectement, aussi, les paysans ont bénéficié de l'agitation régnant autour de Cîteaux, avec l'implantation de nombreux tâche-

rons et artisans, et grâce à un climat plus clément pour les récoltes. Ils s'organisent et traitent parfois d'égal à égal avec les seigneurs. Les marchands, par mesure de sécurité, font bloc dans les faubourgs de la ville.

La naissance de la commune s'accompagne de véritables révolutions dans la vie quotidienne des Beaunois. C'est, pour leurs magistrats, l'accès à une juridiction de droit public et privé, à l'exception de certains crimes et délits qui demeurent du ressort de la justice ducale (meurtres, viols, brigandages, etc.). C'est aussi l'apparition du service militaire obligatoire (quarante jours par mobilisation), avec possibilité, toutefois, de se faire remplacer par un « familier acceptable ». Le précieux parchemin de l'affranchissement apporte de nombreuses garanties face aux abus éventuels des ducs. Jalousement gardé, il sera conservé des siècles durant dans un coffre de bois déposé dans le trésor de Notre-Dame. On peut encore le voir dans le cabinet du maire de Beaune, la charte de commune étant conservée aux archives de la ville.

Progressivement, le système communal se met en place. « *A la manière d'un véritable seigneur collectif* », explique Lucien Perriaux[1]. C'est sous sa présidence que se creusent les douves qui embrasseront les fabuleux remparts dont Beaune se pare encore. La construction, très ambitieuse, mettra régulièrement à mal la trésorerie

d'une ville en phase d'expansion. Les corps de métiers, drapiers et forains, surtout, seront de plus en plus nombreux et importants. *Idem* pour les châtellenies et les « maisons fortes » tenues par des chevaliers dans la région. Le vignoble, en plein essor, commencera à imposer son prestige. Les religieux, par une sorte d'inspiration divine, contribueront à la notoriété et à la grandeur des vins de Beaune.

Aussi la description des principaux lieux de visite du Beaune d'aujourd'hui permet-elle de mieux comprendre l'évolution d'une ville au destin peu commun.

Acte IV : Entre château fort, commune et parlement

Il semble difficile, en effet, de considérer Beaune à son juste rang sans évoquer le cas du château ducal. Tout près de Notre-Dame, cet ensemble important dont la construction remonte

vraisemblablement au IXe ou au Xe siècle fut le théâtre de nombreux événements. Il était, pendant les séances du parlement, la résidence régulière des ducs capétiens. Les deux entrées (rue du Paradis et rue d'Enfer), qui conduisent désormais au musée du vin, ont d'ailleurs été préservées depuis cette grande époque. Mais il est hasardeux, véritablement, de restituer le souvenir d'un « quartier » de haute lignée qui rassemblait, au moment de sa pleine gloire et dans son enceinte, d'impressionnants appartements particuliers, de non moins imposantes cuisines, des celliers très actifs témoignant de la forte activité viticole des grands de la Bourgogne. Il y avait surtout cette immense salle du Roy, bâtiment aux dimensions plus que respectables de 43 mètres sur 14, qui trônait entre la place du parvis de Notre-Dame et la rivière passant par là.

Deux fois l'an, à Pâques et à la Saint-Martin, les ducs de Bourgogne y présidaient le tribunal supérieur. Parfois, le roi, de passage à Beaune,

Beaune par le petit bout de la lorgnette : on peut accéder au palais des ducs par la rue du Paradis *(ci-dessus)* **; de nombreux colombages sont à découvrir au hasard d'une promenade.**

Dans la rue comme sur les enseignes, le folklore contribue à entretenir à Beaune ce climat particulier qui en fait une ville de tourisme et de plaisirs.

procédait à l'ouverture de ce parlement, le second de tout le royaume de France. Certaines séances furent épiques. Mais le « privilège » prit fin en 1479, date à laquelle Louis XI, fâché par la résistance que lui avaient opposé les Beaunois, décida de déplacer le parlement à Dijon. Devant l'insistance des autorités locales, celui-ci revient à Beaune à plusieurs reprises mais très épisodiquement, jusqu'en 1636. La grande salle qui servait par ailleurs aux audiences de la chancellerie et aux réunions de la Chambre des comptes du duché, fut partiellement détruite, libérant un peu de champ pour admirer la collégiale comme on peut le faire aujourd'hui. La maison de vins Drouhin, qui abrite par ailleurs les rares vestiges du castrum datant de IVe siècle ainsi que les caves du chapitre, ouvre volontiers ses portes sur ce qu'il reste de ce lieu extraordinaire.

La colère de Louis XI, évoquée plus haut, nous amène à visiter un autre lieu de prestige dans le Beaune historique : le château fort.

L'édifice fut construit, par ordre du roi, à l'endroit même où, en 1478, ses troupes chargées de la conquête de la Bourgogne parvinrent, au prix de cinq semaines de combat, à franchir enfin la porte Bataille, face au faubourg Saint-Jean. Il s'agissait, en fait, d'une arme à double usage qui permettait à la fois de surveiller les extérieurs tout en gardant un œil sur ces diables de Beaunois. Poursuivie par Charles VIII, puis « dopée » par le gouverneur de La Trémouille, la construction ne fut achevée que sous François Premier. Ce pentagone régulier dont le sommet se trouvait côté ville, comprenait alors les deux grosses tours dominantes visibles aujourd'hui et qui donnaient sur la vaste campagne, ainsi que trois petites tours d'environ 17 mètres de hauteur offrant un précieux point de vue sur les agissements des habitants à l'intérieur des remparts. Sur ces murs d'une incroyable épaisseur de 5 à 8 mètres, les armes de La Trémouille cohabitaient sans complexe avec les porcs-épics couronnés de Louis XII,

eux-mêmes accompagnés de gargouilles animales saillant à mi-corps.

Mais l'histoire permit aux Beaunois, à la fin du XVIe siècle, de gagner à nouveau la confiance royale. Excédés par les abus de pouvoir de leurs occupants, ils jetèrent dehors de chez eux les troupes de Regnier de Montmoyen, un ligueur au service du duc de Mayenne. En 1602, le bon roi Henri IV autorisa la démolition de l'infâme château du côté de la ville. Les deux grosses tours, nécessaires à la protection de Beaune, survécurent. La visite de la propriété de la maison champenoise Henriot, ex-maison Bouchard Père et Fils, est vivement conseillée pour apprécier au mieux ce que furent ces étonnants éléments de fortification.

Pendant ce temps, la vie communale, parallèlement à la vie spirituelle des couvents, prenait la mesure du temps, marchant inéluctablement vers son destin républicain. A lui seul, le cas de l'hôtel de ville mérite qu'on s'y attarde. Dans sa première version connue, il s'élevait à l'emplacement actuel de la place Monge. Ce bel édifice en pierre de taille, décoré de créneaux et « orné à chacun de ses angles d'une tourelle située à hauteur du premier étage », écrit Jospeh Delissey[2], avantageusement restauré au XVIe siècle, avait de multiples fonctions. Il comprenait des geôles, une chapelle,

un corps de garde, une salle d'audience commune, une autre pour les archives, un grenier et… une cave. Une très belle sculpture, représentant les écus de France et de Navarre accolés, ainsi qu'un pélican ouvrant le sein pour nourrir ses enfants, symbole de l'amour maternel et de la charité, en décorait la façade.

Derrière ces bâtiments, il y eut des hommes. Des maires, surtout, qui se chargèrent de faire évoluer la ville. Beaune et ses 8700 habitants (Dijon en comptait à peine trois fois plus) furent ainsi administrés, de 1759 à 1780, par Jean-François Maufoux. « Homme résolument du siècle des lumières », commente Eliane Lochot[3], « il a favorisé les transformations de la ville d'aujourd'hui ». On lui doit le percement des remparts, la promenade du square des Lions, la porte Saint-Nicolas et une véritable politique d'urbanisation. Dans une ville à l'atmosphère étouffante, complètement envahie par les monastères et les couvents, un réel besoin d'aménagement se faisait sentir.

Après la Révolution, on ordonna finalement la démolition de l'hôtel de ville et on installa définitivement les services municipaux là où ils se trouvent actuellement, dans l'ex-couvent des Ursulines. Jean-Louis Bonnet, précieux sculpteur beaunois, fut alors chargé de dessiner le motif du fronton actuel que son fils Louis réalisa par la suite. Les armoiries représentaient, au moment de l'affranchissement de la ville, une Belone d'argent, debout, tenant de la main droite une épée nue et ayant la main gauche appuyée sur la poitrine. Mais, depuis 1540, elles avaient cédé leur place à d'autres armoiries, dont la description s'impose en ces termes : « D'azur à une Vierge tenant le Saint Enfant Jésus sur le bras gauche, le tout d'argent, dont les bords de la draperie sont d'or, la mère et le fils diadémés d'or, la Vierge tenant dans la main droite un rameau de vigne du sinople auquel est attaché un raisin de sable et l'Enfant Jésus tenant dans sa main un monde d'or sommé d'une croix de même ». Tout un symbole effectivement.

[1] « Histoire de Beaune et du pays beaunois, des origines au XIIIe siècle », *par Lucien Perriaux, Presses Universitaires de France, 1974*
[2] « Le Vieux Beaune », *étude d'histoire locale, par Joseph Delissey, 1941, Laffitte reprints.*
[3] « Beaune à la fin de l'Ancien Régime. Les réalisations municipales », *Eliane Lochot, 1988, archives municipales de la ville de Beaune.*

La diversité architecturale de la ville par l'exemple : démonstration de réussite sociale sur les grandes maisons bourgeoises de la fin du siècle dernier (à gauche)**; recherche d'austérité et de solidité dans la tour Blondeau (XVIe), qui servit à la fabrication des poudres et des salpêtres** (ci-dessous)**; esprit glorieux avec la porte Saint-Nicolas construite sous l'édilité de Jean-François Maufoux, juste avant la Révolution.**

89

L'empreinte des Bonnet

Au Sporting, ornementation attribuée à Bonnet II, alors âgé de 61 ans, déclinée en sept motifs, dont une femme arrosant la vigne accompagnée d'un petit dieu Pan qui recueille le vin.

Les stalles de la collégiale, un travail remarquable qui mérite une attention très particulière : de nombreux détails révèlent la qualité de l'ouvrage.

Leur signature est omniprésente dans la ville. Aux XVIIIᵉ et XIXᵉ siècles, plusieurs générations de Bonnet ont contribué à égayer de nombreux sites et, par leur art et le respect qu'ils inspiraient, à protéger un certain nombre d'édifices de la destruction durant la période révolutionnaire. A la collégiale, par exemple, les stalles sont de Bonnet. Juste à côté d'elles, on peut aussi apprécier la finesse de leur exécution sur bois, avec la rosace de la corporation des vignerons. Le fronton sculpté de la mairie, ex-couvent des Ursulines, a été dessiné par Bonnet II (1754-1840), puis exécuté par son fils, Bonnet III (1785-1860). La corbeille de fleurs qui orne le porche d'entrée du passage Sainte-Hélène, place Carnot, est, de même, signée Bonnet.

Bonnet II, aussi célèbre pour ses sculptures que pour ses dorures, réalisa par ailleurs une ornementation d'esprit très classique, en sept motifs, sur l'immeuble du café de la Renaissance aujourd'hui occupé par le Sporting. Enfin, il existe une douzaine de salons réalisés par les Bonnet, précieusement conservés dans les demeures beau-

noises. L'un d'entre eux, toutefois, est visible dans les locaux du syndicat des négociants en vins fins, place Carnot, et un autre, à la demeure Saint-Martin.

L'Ange doré de la collégiale.

Comme pour la mairie, ex-couvent des Ursulines, le fronton de Saint-Etienne, ex-couvent des Carmélites, a été réalisé par Bonnet.

*

Promenade
sur les remparts

*

Du château construit par odre de Louis XI, il reste essentiellement deux grosses tours *(ci-dessus)*. **Domaine royal jusqu'au XVIIIᵉ siècle, il fut racheté par la famille Bouchard qui en fit le siège social de Bouchard Père et Fils** *(À droite, la maison familiale et ses toits vernissés).*

RIGÉS entre le XIIIᵉ et le XVIIᵉ siècle, ces remparts présentaient, avec leurs tours rondes qui se terminaient en cônes très pointus, des allures médiévales dignes des plus belles illustrations de nos chers livres d'histoire. Des transformations diver-ses ont certes modelé, à de nombreux endroits, l'ensemble de cette forteresse. Il en fut ainsi de la tour carrée et crénelée de la plate-forme Saint-Martin, abattùe en 1877 : la Bouzaise fut alors recouverte par une voûte, donnant naissance à

l'avenue de la République. On peut aussi rappeler le cas de la tour des Hurées (ou du Gay), qui s'écroula sous la poussée du vent du sud, une nuit de l'hiver 1702. Ou encore celui du bastion Saint-Martin, transformé en square par Jean-François Maufoux, le plus révolutionnaire des maires de Beaune sous l'Ancien Régime. Mais, dans l'ensemble, ce qui peut être vu par les touristes d'aujourd'hui laisse facilement imaginer ce qui pouvait être craint par les envahisseurs d'autrefois.

A la fin du XIIIe siècle, Beaune était déjà cernée par son imposante muraille. La ville comptait alors quatre entrées. En 1478, celle gardée par la porte Bataille fut franchie, en force, par les troupes de Louis XI. Celui-ci, après s'être heurté à forte résistance, décida de bâtir un château fort pour surveiller aussi bien les agresseurs extérieurs que les Beaunois, dont il se méfiait comme de la peste. Du château, détruit ainsi que ses tours intérieures sur ordre du roi Henri IV, il ne reste que les deux grosses tours de 17 mètres de diamètre qui encadraient jadis le pont-levis. A leur impressionnante épaisseur s'ajoute la puissance des pierres taillées en bossage, une technique particulière qui devait permettre de dévier les projectiles, et surtout d'impressionner d'éventuels agresseurs ! Domaine royal jusqu'au XVIIIe siècle, l'ensemble fut acquis par Bouchard Père et Fils qui en fit son siège social avant d'être à son tour rachetée par la maison champenoise Henriot, en 1995. Le parc, qui entoure l'une des

Le bastion Sainte-Anne, racheté par une société canadienne spécialisée dans le tourisme à vélo, se distingue grâce à sa jolie échauguette couverte d'une calotte ronde en pierre.

93

L'escalier qui monte au square des Lions, tout comme la petite maison construite sur une tour tronquée du château , montrent à quel point ces remparts ont été adaptés selon les époques.

Assez cossue et surmontée d'une couverture de pierre en forme de calotte, la tour Renard se situe entre le bastion Sainte-Anne et le château.

Vestiges, elles aussi, de la première génération des fortifications, la tour des Poudres *(ci-dessus)* et la tour des Billes *(à droite)* se terminent en cônes très pointus surmontés d'une pierre conique qui porte un fleuron.

deux tours, est un magnifique lieu de verdure avec des fleurs aux noms enchanteurs : magnolias, plaquemeniers , sophoras du Japon, cyprès chauves de Virginie, etc.

C'est à la même époque que les quatre grosses tours ou « boulevards », encore visibles de nos jours, furent bâties. Le boulevard des Filles (ou de l'Oratoire), ainsi baptisé en raison de la proximité du collège, appartient désormais à la maison Chanson qui y a installé son négoce de vins. Le boulevard de la Bussière (ou des Dames-du-Lieu-Dieu), en référence aux abbés et aux bernardines qui ont séjourné tout près de là, est une tour puissante aux murailles de 7 mètres d'épaisseur. Propriété de la maison Patriarche Père et Fils, c'est un havre de paix pour le vin précieux, avec trois étages et deux caves voûtées dans les anciennes casemates. Le boulevard des Cordeliers a, lui aussi, trouvé une fort belle reconversion. Après avoir appartenu au vaste domaine des Cordeliers, il revint à l'Hôtel-Dieu, par donation, en 1863. C'est dans sa grande salle intérieure, magnifiquement voûtée, que sont organisées quelques-unes des grandes réceptions de Beaune, notamment à l'occasion de la Vente des vins des Hospices. La Grosse-Tour, enfin, affiche fièrement l'emblème de La Trémouille, gouverneur de la Bourgogne en 1477. Elle est agrémentée par la présence de la tour des Billes (ou Jolibois), accolée à elle et contemporaine de la tour des Poudres, une autre jolie tourelle coiffée d'un toit conique, qui s'élève un peu plus loin. Ainsi que l'indiquent leurs noms, ces tours datent toutes deux de la période d'apparition de la première artillerie à feu, à la fin du XIVe siècle.

Le système des fortifications fut à nouveau complété, en 1637, par l'édification de quatre bastions en forme de pentagone, judicieusement répartis autour des remparts. Le bastion du Bourg-Neuf ou de Saint-Nicolas, construit entre 1562 et 1569, fut rasé pour laisser place au théâtre municipal actuel, tout près de la porte Saint-Nicolas. Un autre, le bastion Condé, construit en lieu et place de l'ancienne porte Bretonnière, fut coupé en deux pour laisser le passage à la rue Maufoux. Grâce à ce même Maufoux, maire décidément très entreprenant, le bastion Saint-Martin est devenu un étonnant lieu de respiration à la veille de la Révolution : le square des Lions, prolongé par l'agréable promenade des Dames. Les deux autres bastions, Sainte-Anne et des Buttes (ou Notre-Dame), sont tout autant remarquables. Le premier, qui appartient désormais à Butterfield et Robinson, une société canadienne spécialisée dans les séjours touristiques à vélo, est un agréable jardin égayé par une jolie échauguette coiffée d'une calotte ronde en pierre. Le second, pour sa part, a littéralement enserré la tour Notre-Dame, datant de la première époque des fortifications, au XIVe siècle. Comme pour le bastion Sainte-Anne, il arbore une élégante échauguette, dont le dessous se termine en nid d'aronde.

Il semble donc difficile de passer par Beaune sans voir de plus près ces réalisations qui, en leur temps déjà, faisaient l'admiration des spécialistes. Ironie du sort, ces remparts protecteurs font désormais l'objet d'un certain nombre de mesures… de protection. L'association des Amis des remparts veille justement sur eux. Elle se fait un plaisir de guider le visiteur sur les pas des défenseurs de Beaune.

Face au jardin anglais, l'échauguette du bastion Notre-Dame *(ci-dessus)*

Le « boulevard des Filles » ou « tour de l'Oratoire », transformé en négoce par la famille Chanson *(en haut à gauche).*

95

Plan réalisé avec la collaboration de l'association des Amis des remparts de Beaune.

Les remparts de Beaune

1 Porte Saint-Nicolas
2 Bastion Notre-dame
3 Tour Blondeau
4 Château
5 Tour Renard
6 Bastion Sainte-Anne
7 Tour des Poudres
8 Grosse Tour *(Calvet)*
9 Tour des Billes (Jolibois)
10 Tour de l'Hôtel-Dieu
11 Bastion Condé
12 Tour des Dames
13 Bastion Saint Martin
14 Tour des Filles ou de l'Oratoire

Insigne et imposante collégiale

L'église castrale de Saint-Baudèle
étant devenue trop petite,
la construction d'un édifice à la
hauteur des ambitions de Beaune,
au début de ce millénaire, s'imposa.
Notre-Dame prit rapidement
la primauté sur l'ensemble de la vie
ecclésiastique de la ville.

La Vierge en majesté (XIIᵉ siècle), objet d'une ferveur jamais démentie depuis huit siècles *(ci-dessus).*

Le chevet, enrichi par une superposition de styles différents *(en haut à droite).*

98

Le retable de l'ancien couvent des Jacobins est visible en trois parties dans les chapelles. Ci-dessous, la scène représentant le calvaire du Christ.

L'HISTOIRE de l'insigne collégiale remonte à la fin du Xᵉ siècle, à une période où la petite église castrale Saint-Baudèle ne suffit plus pour recevoir des fidèles de plus en plus nombreux. Henri le Grand, frère du roi Hugues Capet, est un duc ambitieux. Il rêve d'un édifice à la mesure du destin qu'il prédit à Beaune. Il désigne, pour cela, l'emplacement de ce qui fut, dit-on, le temple de Minerve. Les travaux commencent timidement vers 976. Le duc, trop souvent absent, n'encouragera pas suffisamment l'édification de la collégiale qui prendra le nom de Sainte-Marie ou Notre-Dame. Il faudra surtout compter sur l'opiniâtreté et la piété de la duchesse Mathilde, sœur de Guy de Bourgogne, devenu pape sous le nom de Calixte II, pour que les choses avancent vraiment au début du XIIᵉ siècle. Les dons des ducs qui lui succéderont permettront de situer l'achèvement de Notre-Dame près de trois siècles après le vœu émis par Henri le Grand ! Imaginée sous l'influence de Cluny, elle aura donc, entre-temps, été marquée par la sobriété prônée par Cîteaux…

Notre-Dame est, en tout cas, l'une des plus belles réalisations d'une architecture romane d'inspiration clunisienne. Depuis que l'église de Saint-Pierre a été détruite, en 1803, pour créer la place que l'on connaît aujourd'hui sous le nom de place Carnot, c'est aussi la plus importante de Beaune. D'emblée, la beauté de son porche, de style gothique, placé en avant-corps, le plus vaste vraisemblablement de toutes les églises de

Bourgogne, s'affirme. Les pierres de taille qui le recouvrent ont été installées en 1860, au moment de sa restauration (sous la direction de Viollet-le-Duc), allégeant l'allure générale d'une façade qui comprend trois ouvertures ogivales. On se prend alors à regretter la destruction, en l'an II, de l'admirable imagerie en pierre sculptée qui ornait celle-ci. Réalisée par les « tailleurs d'ymaiges » du XIVᵉ siècle, cette sculpture représentait les signes du zodiaque, les saints et les apôtres. Trois baies, dont une à double compartiment au centre, conduisent toujours à l'intérieur de l'édifice, par de magnifiques portes de bois qui portaient jadis les armoiries de leurs donateurs, Henri et Antoine de Salins, doyens à la fin du XVᵉ siècle.

Globalement, la collégiale adopte la forme d'une croix latine dessinée par le contour de ses 11 chapelles latérales. D'une longueur totale de 79,20 m, elle se termine par une superbe abside en hémicycle. Au XVᵉ siècle, plusieurs piliers et arcs-boutants ont été accolés au chevet. A 61 mètres au-dessus du sol, le coq placé au sommet du clocher, dressé au centre du transept, est sans aucun doute l'acteur de la vie beaunoise le plus en vue de tous : on l'aperçoit à 10 kilomètres à la ronde. La tour sur laquelle repose ce clocher est en parfaite harmonie avec le style mixte de l'ensemble.

Le presbytère, son jardin
(ci-dessus et à droite),
**et son magnifique cloître
des XIIᵉ et XIIIᵉ siècles**
(page précédente),
**qui conduit au transept
de la collégiale.**

**Onze chapelles latérales,
fondations pieuses des
XIVᵉ, XVᵉ et XVIᵉ siècles
encadrent la nef
de la collégiale qui,
avec elles, adopte
la forme d'une croix latine.**

Le dôme, en revanche, est apparu à la fin du XVIᵉ siècle, en lieu et place de l'ancienne flèche détruite par un incendie.

D'une beauté simple à l'extérieur, la collégiale sait aussi créer une grande émotion lorsque l'on pénètre à l'intérieur. Avec 37,5 m de longueur du porche au transept, 8 mètres de largeur entre deux piliers, et 21 mètres du pavé à la voûte, la nef affiche des dimensions plus que respectables. Apparemment, elle a été construite en deux étapes, avec quatre travées au XIIᵉ siècle, puis deux autres le siècle suivant. Sa voûte en berceau brisé fut reconstruite entre 1860 et 1867, dans le cadre, elle aussi, d'un vaste programme de travaux qui comprenait l'adjonction de quatre nouveaux contreforts en complément des arcs-boutants extérieurs.

La Révolution, encore elle, fit de la collégiale son Temple de la Raison et emporta tout sur son passage. On décida, à cette époque, d'abaisser le sol, éliminant au passage la plupart des dalles funéraires. Il reste toutefois bon nombre de choses à découvrir dans la nef, dont la chaire, d'époque Louis XIV, qui fut celle de l'ancienne église des Carmélites. Au centre du transept, il est à noter que le maître-autel, primitivement destiné au couvent des Minimes, presque entièrement construit en marbre des carrières de Saint-Romain, est le chef-d'œuvre d'un marbrier beaunois, M. Biderman. Cette nef est prolongée, dans sa branche orientale, par la sacristie et son superbe cloître restauré, qu'introduit une remarquable porte byzantine.

Onze chapelles latérales ont été édifiées du XIVᵉ au XVᵉ siècles, ouvrant sur les bas-côtés ou collatéraux, et éclairées par des fenêtres à compartiments en ogive et à feuilles de trèfle ou à figures flamboyantes et en « S », selon l'époque de leur réalisation. La première, en entrant du côté du bénitier (XVIᵉ siècle), au style fleuri et à la décoration de dentelle, est une des plus belles et la seule à posséder une voûte plate sculptée en parquet. Placée initialement sous le vocable de Saint-Flocel, elle conserve de remarquables niches malheureusement dégarnies de leurs statues depuis la Révolution. Elle fut léguée par le chanoine humaniste Bouton. La suivante, dite de Notre-Dame (XVᵉ siècle) ou de l'Annonciation à l'origine, puis de Saint-Pierre après la Révolution, recueille un intéressant bas-relief représentant la crucifixion de saint Pierre, qui appartenait jadis au retable du couvent des Jacobins (1525), comprenant pas

moins de 46 personnages et animaux. Un vitrail datant du siècle dernier reprend le même thème. Toujours en suivant, la troisième chapelle fut autrefois dédiée au Sacré Cœur, la quatrième à sainte Marie-Madeleine et la cinquième à saint Joseph. La sixième a connu, depuis 1329, date de sa première fondation, de nombreux titres. Tant et si bien qu'elle fut baptisée « chapelle de tous les saints ».

La seconde des cinq chapelles de l'autre collatéral, offerte par le même cardinal Rolin et placée sous le vocable de saint Léger, ne manque pas de curiosités elle non plus. Les vestiges de fresques exécutées de 1470 à 1473, attribuées à Pierre Spicre, y représentent la résurrection de Lazarre et la lapidation de saint Etienne. Disparues sous un badigeon au moment de la Révolution, remises au jour au début du siècle, puis restaurées il y a une vingtaine d'années, ces peintures sont d'un grand intérêt.

Dite de Saint-Martin ou de Saint-Sulpice, la troisième chapelle recèle les deux autres parties du retable de l'ancien couvent des Jacobins. La repré-

sentation du Calvaire et de la mise en croix, sur l'un de ses bas-reliefs, mérite une attention particulière, ne serait-ce que pour la présence et l'allure donnée aux six chevaux qui y figurent aux côtés de 37 personnages. L'autre thème abordé est celui de l'Annonciation et de la Nativité.

La visite de la collégiale nous amène ensuite au chœur, dont la plus grande partie a été édifiée au XIIᵉ siècle. Celui-ci, fait rare en cette région, est entouré par un déambulatoire semi-circulaire. C'est pour la statue de la Vierge noire, réplique fidèle de celle de Notre-Dame-du-Port, à Clermont-Ferrand, objet jadis d'un important pèlerinage (on peut désormais la contempler sur l'autel), que ce déambulatoire a été créé. On peut y admirer les bancs qu'occupaient les confréries, ornés de motifs sculptés par l'incontournable Bonnet. Quatre vitraux en grisaille lui apportent un peu de lumière et évoquent des scènes directement liées à la vie beaunoise. Ainsi en est-il de l'évangélisation de la région, de saint Romule apportant les reliques de saints Flocel et Herné, du duc Henri et de la duchesse regardant les plans de la future collégiale, ou encore de la Vierge noire de Beaune. Une vaste verrière, enfin, décore les sept fenêtres qui éclairent la partie supérieure de l'abside.

Pour terminer cette visite de la collégiale, et avant d'évoquer le cas particulier des tapisseries, il convient de citer les deux chapelles du transept.

Les voix du chapitre

Notre-Dame peut être admirée pour ce qu'elle est, pour elle tout simplement. Aujourd'hui encore, elle domine Beaune de toute sa splendeur. Positionné au-dessus des toits de la ville, son clocher s'impose dans le regard comme il sut s'imposer, dès le début, dans l'organisation religieuse locale. Son importance était intimement liée à l'influence du chapitre, l'un des plus anciens de Bourgogne, mais aussi au jeu du destin. En 1483, elle fut décorée du titre d'« insigne collégiale » par le pape Sixte IV, à la demande de Louis XI, frais conquérant de la Bourgogne, qui voulait humilier l'évêque d'Autun, le cardinal Rolin. Ce titre, en référence au concile de Trente, élevait alors Notre-Dame au rang de cathédrale, et la plaçait directement sous la protection du Saint-Siège…

L'existence de l'assemblée délibérante des chanoines de Beaune, chef de tout le clergé de la ville, remonte à l'époque de l'église Saint-Baudèle, avant que la grande collégiale ne remplace et

Le déambulatoire (XIIᵉ siècle), fut ajouté pour faciliter la circulation des pèlerins.

La tour du clocher (XIIᵉ et XIIIᵉ siècles), couronnée de son dôme campaniforme.

L'immense porche gothique, placé en avant-corps d'une façade auréolée de deux petites tours carrées datant du XIIIᵉ siècle (à gauche). **L'accès central était réservé aux chanoines, la portre de droite, aux hommes, et celle de gauche, aux femmes.**

Au premier plan, cette Vierge fait partie des ornementations ajoutées au porche en 1840. Derrière, on entrevoit les portes offertes par le doyen Henri de Salins au XVᵉ siècle, évidées et sculptées par le Beaunois Bonnelance.

102

Fragment de l'ancien maître-autel de la duchesse Mathilde, retrouvé dans le mur d'un jardin de Beaune puis rapporté dans son lieu d'origine.

même ne supplante cette dernière dans la hiérarchie des édifices religieux beaunois. Le chapitre possède alors une trentaine d'églises dans la région et régit un important patrimoine qui ne cessera de s'étoffer au fil des siècles. Les chanoines tentent aussi, parfois, de limiter la multiplication des couvents qui risquent de leur ôter un peu de leur influence et beaucoup d'aumônes.

Le doyen est la plus haute autorité cléricale de la ville. L'archidiacre, son second, veille à la discipline ecclésiastique et à la juridiction contentieuse. Mariages, legs pieux, mais aussi parjures, sacrilèges, incestes et adultères sont soumis à son jugement : il représente la collégiale auprès de l'évêque d'Autun. Un jour de l'an de grâce 1667, l'archidiacre Loppin se fera ainsi bâtir une prison attenante au pressoir du chapitre. Troisième acteur de ce que l'on pourrait aujourd'hui appeler le « directoire » de l'assemblée des chanoines, le théologal est plus particulièrement attaché, comme son nom l'indique, à l'enseignement du catéchisme.

D'une manière générale, on comptait une trentaine de chanoines à Beaune, avec autant de prébendes, sortes de dotations foncières affectées à chacun d'entre eux, dont ils tiraient leurs revenus. A compter du « transfert » de la prébende de « chef des écoles » aux pères de l'Oratoire, qui avaient repris en mains le collège, ils ne furent plus que 29. De nombreux cardinaux et évêques sortirent de leurs rangs. Le personnel auxiliaire réunissait, quant à lui, environ 70 membres : chapelains, prêtres habitués, vicaires, clercs, marguilliers, carillonneur, sonneur, bâtonniers, sacristains, sans oublier les prêtres choraux et les enfants de chœur. La présence de ces derniers signifiait que la musique occupait une place de premier ordre. Ce qui amène à évoquer la présence des orgues que nous voyons aujourd'hui, et qui en remplacèrent d'autres, en 1637, date à laquelle ont leur affecta une tribune en pierre. A la Révolution, elles furent sauvées du désastre grâce à la présence d'esprit de l'organiste Morisset. Celui-ci n'hésita pas, nous dit Joseph Delissey, « *à entonner la Marseillaise à grand renfort de trompettes* ». La plupart des ornements et tableaux religieux en place à cette époque, eurent moins de chance. Ils furent littéralement éliminés lorsque, de temple de la chrétienté, la collégiale fut transformée en temple de la Raison, en l'an II. Mais Notre-Dame demeure, à juste titre, l'un des fleurons de Beaune.

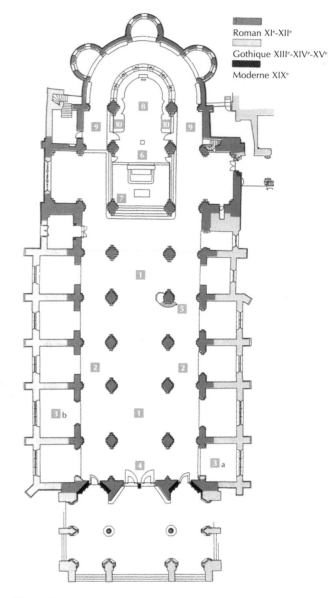

Roman XIᵉ-XIIᵉ
Gothique XIIIᵉ-XIVᵉ-XVᵉ
Moderne XIXᵉ

1 La nef, récemment restaurée, avec sa voûte en berceau brisé.

2 Les collatéraux, ou bas-côtés, voûtés d'arêtes, qui épaulent la nef.

3 Les onze chapelles latérales dont celles du chanoine Bouton *(3a)* et du cardinal Rolin *(3b)*.

4 La tribune d'orgue (1636) et sa partie instrumentale, classés monuments historiques.

5 La chaire (XVIIᵉ siècle) en provenance du couvent des Carmélites.

6 Le transept, autel placé sous la voûte du clocher qui élève haut sa coupole sur trompes.

7 La Vierge en majesté, vénérée pour ses miracles depuis huit siècles.

8 Le chœur autrefois réservé aux 30 chanoines du chapitre.

9 Le déambulatoire, construit au XIIᵉ siècle pour les pèlerins.

10 Stalles, Ange doré, bancs des confréries : œuvres de Jean-Louis Bonnet (1754-1840).

DRAC de Bourgogne - Michel Rosso

La vie de la Vierge

DE LAINE ET DE SOIE

PREMIER PANNEAU
**C'est la première étape de la vie
de la Vierge, de sa conception,
symbolisée par le pudique
« baiser d'Anne et Joachim »,
au « choix du fiancé ».
Dans cette dernière scène,
de mécontentement,
un jeune homme brise son bâton,
signe de renoncement
selon la loi salique.**

LES CINQ TAPISSERIES qui composent la tenture de la vie de la Vierge sont un trésor pour Beaune. La richesse et la beauté du tissu, la minutie des détails, l'éclat des coloris, la prairie en fleurs qui leur vaut le nom de « tapisseries à mille fleurs » renforce le côté exceptionnel de cet ensemble offert au chapitre de la collégiale par l'archidiacre Hugues Le Coq, en 1500. Le peintre bourguignon Pierre Spicre en avait réalisé les cartons (ou modèles), 26 ans plus tôt, à la demande du cardinal Rolin. Leur réalisation avait, entre-temps, été ralentie par les événements consécutifs à l'annexion de la Bourgogne par Louis XI, et l'éviction du fils de Nicolas Rolin.

L'existence de ces tapisseries tient aujourd'hui du miracle. Dans un souci de réaménagement du chœur, les chanoines avaient, en effet, décidé, au milieu du XVIIIe siècle, de changer le jubé qui leur servait alors de support et de les mettre au rebut. Elles ne furent ensuite exposées et tendues qu'à certaines occasions,

puis progressivement écartées du rythme officiel des célébrations de la collégiale.

Sauvées une première fois du désastre par Albert Humbert, en 1852, ces pièces retrouvèrent plus tard de leur éclat grâce « *aux doigts avisés et dociles des dames de l'Hôtel-Dieu* ». De trop rares interventions (un seul lavage par siècle assure-t-on), en avaient complètement altéré les couleurs. Pire, selon A. Humbert, « *ces objets précieux [...] jetés sur le bûcher,*

DEUXIÈME PANNEAU
(Ci-dessous - en haut)

Après « Le Mariage de Marie et Joseph » vient « L'Annonciation ». A droite du panneau, le visage du cardinal, dont la présence avait été souhaitée dans le marché passé avec Pierre Spicre, a finalement été remplacé par celui d'Hugues Le Coq. Ce dernier s'est ainsi imposé comme le donateur des tapisseries.

TROISIÈME PANNEAU
(Ci-dessous - en bas)

La scène de « La Visitation », à gauche, se serait déroulée, selon saint Luc, dans la maison de Zacharie, le prêtre dont Marie rencontre l'épouse, enceinte elle aussi. Spicre, à la manière de la plupart des artistes de l'époque, dont Rogier Van der Weyden, a préféré utiliser la nature pour cadre.

DRAC de Bourgogne - Michel Rosso

exposés aux ravages des rats, à l'humidité [...] prêtés à n'importe qui [...] » auraient bien pu finir dans l'oubli le plus total.

Restaurées depuis, elles apportent des enseignements importants sur les pratiques d'un art pictural qui puisait son inspiration dans les récits apocryphes de la « Légende dorée », composée par le dominicain Jacques de Voragine, au XIIIᵉ siècle. Ce mélange de merveilleux et de références religieuses devint une grande source d'inspiration pour les artistes. Dix-neuf tableaux de largeur variable, encadrés d'arcades en anse de panier, reposant sur des colonnettes à décor géométrique et végétal, animent cette grande fresque exceptionnelle qui débute par la rencontre des parents de Marie devant la Porte dorée et se termine par la représentation du donateur, Hugues Le Coq.

QUATRIÈME PANNEAU
(Ci-dessous - en haut)

Aux richesses des tissus de « L'Adoration des mages », succèdent « La Purification » et « La Fuite en Egypte ». L'oiseau qui semble plonger en direction de la Vierge a pris la forme de la croix de Saint-André, emblème guerrier des Bourguignons.
Le « Massacre des innocents » termine tragiquement ce panneau.

CINQUIÈME PANNEAU
(Ci-dessous - en bas)

« En Egypte », un ange annonce à Joseph qu'il peut revenir à Nazareth. Puis « La Dormition de la Vierge » montre que Jésus est vu par sa mère, et pas par les apôtres. Leurs regards se croisent. Dans « Le Couronnement de Marie » (scène suivante), la Vierge a retrouvé l'apparence qu'elle avait pendant le cycle de l'« Enfance du Christ ». Hugues le Coq, agenouillé devant son patron saint Hugues, abbé de Cluny, vient en conclusion de cette fresque. Les traits de son visage se rapprochent beaucoup de ceux qui figurent sur le deuxième panneau. Les lissiers auraient donc utilisé le même carton pour le représenter.

DRAC de Bourgogne - Michel Rosso

DRAC de Bourgogne - Michel Rosso

**Présentes à Beaune
depuis plus de quatre
siècles, les Carmélites
occupent aujourd'hui
un troisième monastère,
rue de Chorey.**

Couvents

DIX ORDRES DIVINS

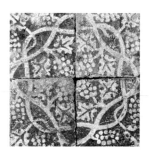

(Ci-dessus en haut)
**Ce retable visible sur
les murs du cloître des
Cordeliers, polychrome
autrefois, appartenait
à un ordre puissant dont
on reconnaît le symbole**
(ci-contre en bas).

L E SCEAU de la spiritualité semble avoir marqué à jamais le destin de Beaune. Il est impossible de circuler dans les rues de la ville sans ressentir, à un moment ou à un autre, le souffle d'un passé religieux hors normes. En marge de la collégiale, des églises et des chapelles qui se découvrent dans le maillage complexe de l'habitat, l'héritage spirituel prend ainsi des dimensions qui n'ont vraisemblablement pas d'équivalent en France. En cela, les couvents de Beaune ont leur responsabilité. La capitale du bourgogne leur doit, dans un certain sens, un peu de sa suprématie viticole. Elle en a compté dix, autant d'hommes que de femmes. Ajoutés aux pères de l'Oratoire et aux sœurs des deux hôpitaux, cela portait à 13 le nombre de groupes de religieux installés dans la ville avant la Révolution. Au plus fort de leur présence, les pères Mathurins ont même tenté, en 1662, de compléter une « gamme » bien fournie puisqu'elle comprenait déjà : Cordeliers, Jacobins, Minimes, Capucins, Chartreux pour ces messieurs ; Jacobines, Carmélites, Bernardines, Visitandines et Ursulines pour ces dames. Mais les échevins locaux mirent un terme à cette prolifération en évoquant, auprès de l'évêque d'Autun, les problèmes rencontrés par la population locale : « *Il n'y a presque point de maison commode pour retirer les habitants, iceux n'ayant pas même moyen de subsister ni biens suffisants pour s'entretenir ni de secourir le nombre infini de pauvres qui sont de ladite ville.* » Occupant des

L'église de l'ancien couvent des Jacobins, transformée en lieu de dégustation, et ses étonnantes poutres aux figures bizarres et grotesques.

monastères enrichis par la générosité des nobles et des fidèles, bénéficiant souvent de caves importantes, jouissant de jardins spacieux dont la superficie s'ajoutait à celle de leur bâti, ces pères et ces sœurs, au nombre de 300 pour une ville de 9 000 habitants, possédaient alors plus de la moitié de la ville. Il subirent, en 1789, les élans révolutionnaires, de sorte que, bien plus tard, ces couvents de Beaune, disparus pour certains,

reconvertis en lieux administratifs pour d'autres, constituent un extraordinaire pèlerinage pour le visiteur.

Pourtant, à l'origine, l'anecdotique fait de piété et de vin a façonné le cours de l'histoire des couvents de Beaune. En 1239, ainsi, le passage des saintes reliques acheminées à la demande de Saint Louis, vers la Sainte-Chapelle, à Paris, est à l'origine de la naissance du premier d'entre eux. Frère Valérien, l'un des quatre cordeliers désignés par le roi pour accompagner la grande procession tombe malade. Il est donc contraint de prolonger son étape beaunoise sous la surveillance attentive d'un compagnon religieux. Valérien, pieux et exemplaire, fait la conquête de la population locale et, plus particulièrement, de la bourgeoisie qui souhaite rapidement la création d'un monastère

Le couvent des Cordeliers occupait tout l'espace compris entre l'Hôtel-Dieu et les remparts. Il en reste un remarquable cloître (à gauche), **ainsi que la promenade des moines qui a été recouverte.**

Plusieurs chapelles de l'ancienne église des Cordeliers, que l'on disait magnifique, sont encore visibles au Marché aux vins, face à l'Hôtel-Dieu.

Les libéralités de l'abbé de Brétigny contribuèrent beaucoup à la venue des Carmélites sur l'ancien site de Saint-Etienne, désormais place Ziem.

Monge avait à peine 18 ans lorsqu'il réalisa ce plan de Beaune sur lequel on peut mesurer l'importance des couvents au XVIIIᵉ siècle.

des Cordeliers. On dit même que c'est le vin de Beaune, précieux médicament s'il en est, qui remet sur pied le brave cordelier adopté par tous. Sous la protection du prieur Jean Richard et avec l'agrément plus tardif du pape, un remarquable couvent commence à peine à prendre forme. Après plusieurs installations provisoires, les Cordeliers reviennent à leur lieu d'origine pour bâtir un domaine sur la voie de la sagesse et de la prospérité.

Au XVᵉ siècle, ils cèdent une partie de leur jardin à Nicolas Rolin pour que celui-ci mène à bien son grandiose projet d'Hôtel-Dieu. À cette époque, une fabuleuse église sort de terre. « *On vantait la beauté de l'église des Cordeliers ; on y voyait des statues de saints tellement bien sculptées qu'elles semblaient être animées* », reprend Joseph Delissey, dans son étude d'histoire locale. L'un des nombreux retables réalisés pour les religieux est encore visible sur le mur du cloître, aujourd'hui séparé de son église et occupé par une grande maison de vins beaunoise.

De cette église, rasée à jamais par le percement de la rue de l'Hôtel-Dieu, il reste aussi plusieurs chapelles, très belles, dans les caves du Marché aux vins. Ce sont là les prestigieux vestiges d'un domaine qui a occupé, au XVIIᵉ siècle, presque tout l'espace compris entre les remparts, l'Hôtel-Dieu, la rue Rolin et la rue Victor-Millot. Un domaine fait de bâtiments à l'architecture remarquable, de cours, de vignes et de jardins.

Les chartreux, quant à eux, n'ont pas connu un sort aussi linéaire. En 1332, lorsqu'ils fondent leur monastère sur les ruines d'un ancien édifice ayant appartenu aux bénédictins de l'abbaye de Fontenay, c'est vraisemblablement sans se douter que cette implantation à l'écart de la ville, à Fontenay-lès-Beaune (aujourd'hui entre Beaune et Verdun), leur coûtera cher. Eudes IV apporte pourtant à ce monastère tous les moyens de réussir, en faisant bâtir, à ses frais, une église, un cloître avec salle du chapitre, un réfectoire, une cuisine et seize cellules pour y recevoir un prieur, douze religieux de chœur et trois frères convers. Le cœur du duc sera d'ailleurs déposé dans le chapitre en 1349, alors que les travaux de réalisation de l'ensemble ne seront pas tout à fait terminés. Choyés et couverts de dons, les Chartreux sont, en revanche, les victimes désignées des agresseurs de Beaune. Détruits une première fois par les Huguenots, frustrés de ne pouvoir pénétrer une ville aussi bien défendue, les bâtiments de la « Grande Chartreuse » le seront une seconde fois, en 1636, sous les mêmes assauts vengeurs des Impériaux commandés par le maréchal Gallas, général de l'empereur d'Autriche, Ferdinand II. De ce monastère, ressuscité une troisième fois jusqu'à la période révolutionnaire, il ne reste essentiellement que le souvenir lointain d'une « *église dont la flèche s'élevait fièrement à l'horizon comme celle d'une cathédrale* », dit encore Joseph Delissey. Tout juste peut-on remarquer la cheminée ronde qui orne le toit des bâtiments de l'ancienne cour des chartreux, l'un des anciens immeubles de repli que les religieux possédaient dans l'enceinte de la ville. Ou encore visiter la splendide cave dépendant de ce lieu, aujourd'hui ouverte au public par les bonnes grâces de la maison Patriarche.

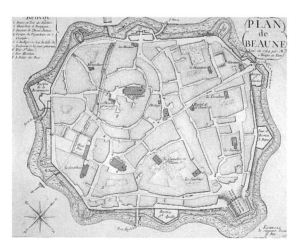

Trois autres couvents masculins viendront s'ajouter aux rangs des Cordeliers et des Chartreux. Les Dominicains ou Jacobins sont les suivants sur la liste. Leur monastère, fondé en 1476, peu avant la mort de Charles le Téméraire, par messire Guillaume de Villers-la-Faye et Agnès d'Achey, doit tout d'abord franchir les barrières posées par le chapitre de Notre-Dame, soucieux de préserver un peu de sa grande influence. De procès en négociations, et moyennant larges indemnités, il parviennent, en 1488, onze ans après la fondation de celui-ci, à faire admettre le couvent soutenu un temps par Louis XI. Cela devient alors un remarquable édifice du XVe siècle, « *passant pour l'un des plus beaux du genre en Bourgogne* », précise Joseph Delissey. De magnifiques bas-reliefs (aujourd'hui exposés dans les chapelles de Notre-Dame) consacrés à la Vierge, au chemin de croix de Jésus et à la cruxifiction de saint Pierre, décorent le maître-autel d'une église étonnante de par les poutres qui se croisent sous son plafond et sont encadrées par d'étranges cordons de support. Malgré un plancher qui partage l'église dans sa hauteur, il est encore possible de découvrir une quarantaine de figures bizarres et grotesques « *d'une verve plus satirique que celles de la grande salle de l'Hôtel-Dieu* ». Un étage plus bas, ce qui est désormais devenu un rez-de-chaussée fait office de salle de réception de l'excellente maison de vins Jadot.

Un peu à la manière des Cordeliers, les Capucins doivent leur installation au séjour prolongé de trois d'entre eux au tout début du XVIIe siècle. La vie pénitente et mortifiée qu'ils observent attise l'estime du peuple et du clergé. De 1606 à 1610, le couvent voit progressivement le jour et reçoit 21 religieux dans l'enclos du faubourg Saint-Martin, que ces derniers irriguent en tirant un filet d'eau de l'Aigue. Les « Mendiants », comme on les surnomme en raison de leur pauvreté, s'intéressent de près au sort des lépreux et participent à l'extinction des incendies. Une sollicitude reconnue, à nouveau,

La cheminée ronde est à peu près tout ce qu'il reste du bâtiment de repli des Chartreux dans l'enceinte de Beaune, dont on peut aussi visiter les caves, grâce à la maison Patriarche.

111

Les ossements de sœur Parigot sont emmurés dans l'actuel monastère des Carmélites.

L'imposante maison conventuelle des Capucins, au faubourg Saint-Martin, fut autrefois irriguée par un filet d'eau que les religieux tiraient de l'Aigue.

112

par la population et le chapitre de la collégiale. Mais il ne restera de leur couvent, après la Révolution et la destruction de l'église qui s'ensuivra, que l'imposante maison conventuelle encore visible au 27 du faubourg Saint-Martin, tout près du parc de la Bouzaise.

Les Minimes, enfin, sont les derniers venus, en 1627, de cette série de monastères d'hommes. « *Charitas* », la devise de ces religieux, figure encore sur le fronton de la bibliothèque de Beaune qui occupe désormais les lieux, place Marey. Par ailleurs, le maître-autel de Notre-Dame n'est autre que l'autel initialement installé dans l'église de ce couvent qui comprenait aussi, selon la tradition religieuse de l'époque, un magasin contenant lui-même pressoir et cuves. Mais le plus bel héritage laissé par les Minimes est, à de nombreux égards, l'escalier de la bibliothèque, un établissement qui, on ne peut mieux, incline à la lecture et à l'érudition. Pour ces Minimes, les marches de l'intégration à Beaune, à une période où la religion envahit les rues de la ville, n'ont pourtant pas été faciles à gravir. Dans son livre « Les Rues de Beaune », édité une première fois en 1867, Charles Aubertin rappelle ainsi l'existence d'une délibération qui interdit aux religieux de cet ordre, « *de pêcher dans la Bouzaise et d'échafauder pour y pêcher* ». Quelques bonnes prières et un certain talent pour la négociation sortiront toutefois les pères pêcheurs de cette impasse.

Le fronton de la mairie de Beaune, ex-couvent des Ursulines, a été sculpté par les Bonnet, père et fils.

Premières arrivées parmi les cinq couvents de femmes, les carmélites de Beaune sont les seules à avoir survécu aux grands mouvements de l'Histoire. Leur parcours local remonte au début du XVIe siècle. « Héritant », en 1619, de l'ancien prieuré bénédictin de Saint-Etienne, les sept sœurs fondatrices, venues de Dijon, aménagent les lieux abandonnés, opposant leur foi à un pitoyable climat de précarité. En 1630, elles accueillent Marguerite Parigot, promise au Carmel dès sa naissance par son oncle le chanoine Léonard Bataille, lequel avait su faire admettre l'installation de l'Ordre à Beaune.

La chapelle des Visitandines, et ses magnifiques motifs réalisés par Bonnet, une séduisante introduction à la visite des caves de la maison Patriarche.

La chapelle des pères de l'Oratoire, qui furent les enseignants du collège.

L'ancien collège, transformé en Hôtel des Sociétés, remarquable aussi par son escalier.

Un peu à la manière des monastères d'hier, celui que les carmélites ont conservé, rue de Chorey, possède un magnifique jardin que l'on ne peut vraiment apprécier que du ciel.

L'église Saint-Etienne, fut celle de leur premier couvent. Elle abrite aujourd'hui la Maison de l'Emploi.

Le cloître est quant à lui occupé par la Chambre de commerce et d'industrie.

Marguerite du Saint-Sacrement, dont nous parlons plus loin, a alors à peine 11 ans et souffre déjà d'une maladie que l'on situera proche de l'épilepsie. Sa pureté et sa douceur, augmentées d'une incroyable capacité de subir, sans afficher sa douleur, les traitements barbares de l'époque (trépanation notamment), mais aussi son extraordinaire dévotion pour l'Enfant Jésus accompagnée de manifestations étranges (lévitation, impuissances sensorielles, luminosité du visage et du corps...) *« atteignent vite les hautes sphères du royaume »*, affirme sœur Grivot.

Mais le carmel de Beaune, c'est avant tout une institution religieuse appelée à tenir un tout premier rôle dans la ville. Là encore, la *« badigeomanie »* de la Révolution, pour reprendre un terme inventé il y a plus d'un siècle par Charles Aubertin, et les aléas de l'urbanisme sauvage altéreront considérablement le patrimoine construit au fil des siècles par les Carmélites. Il demeure toutefois le cloître du couvent, aujourd'hui occupé par la Chambre de commerce et d'industrie. La façade de l'église Saint-Etienne, qui donne désormais sur la place Ziem, créée après la destruction de plusieurs bâtiments dépendant du couvent, présente une architecture sobre et belle qui mérite attention. A l'intérieur de l'édifice, coupé en deux par un plancher destiné à différentes utilisations durant les deux derniers siècles (de la cantine de garnison à l'aménagement de bureaux municipaux), on peut encore voir, en deux fois (rez-de-chaussée et étage), un impressionnant retable sculpté et badi-

geonné de blanc, lui aussi, organisé sur toute la hauteur de l'ancien lieu de culte. Le percement de deux rues (rue du Tribunal et rue Saint-Etienne), tout comme la réalisation de la place Ziem et l'implantation d'immeubles derrière l'église, a entamé un domaine qui occupait une place imposante dans la ville. La communauté des Carmélites, après divers déménagements et périodes d'interdiction de culte, a malgré tout su maintenir localement sa présence, dans son troisième monastère, rue de Chorey.

Les Ursulines sont venues à Beaune sept ans après les Carmélites. Elles ont connu, elles aussi, un certain rayonnement avant de céder leur place à la mairie de la ville. Ces enseignantes dans l'âme, qui instruisaient gratuitement jusqu'à 200 jeunes filles au XVIIᵉ siècle, ont effectivement commencé à bâtir leur cloître – aujourd'hui parcouru par la plupart des Beaunois – en 1697. A cette époque, leur monastère occupait près de 7 000 mètres carrés, abritant plus d'une quarantaine de sœurs. Au-delà de la mairie elle-même, on peut encore remarquer la tour des Ursulines, qui s'élève toujours dans la cour de police.

D'autres objets ont survécu au temps. Parmi eux, un magnifique ornement complet en soie blanche (chasuble, étole, manipule, voile de calice et bourse) offert aux Ursulines par la reine Marie Leczinska en 1742, et précieusement conservé par les sœurs de la Charité. Pratiquement dans la foulée des Carmélites et des Ursulines, est né le couvent de la Visitation Sainte-Marie-de-Beaune. Les Visitandines ont occupé, dès 1631, une place respectée grâce, notamment, à leur vœu de pauvreté. Elles ont toutefois acquis quelques biens, progressivement, dont un couvent en 1668. Rue du Collège, les célèbres caves du Patriarche sont la porte ouverte sur cet univers, puisque le hall d'entrée du site n'est autre que la chapelle décorée de chapiteaux corinthiens et d'un plafond à caissons

avec une parure de feuillage, par le sculpteur beaunois Bonnet, première génération.

Moins d'un an après les Visitandines, les Jacobines ont pu, grâce à la générosité de Nicolas Boursault, seigneur de Vignolles et du Pâquier, investir la rue des Tonneliers. Leur ordre, après avoir connu une certaine prospérité à la fin du XVIIᵉ siècle (elles comptaient 38 religieuses et 4 domestiques), s'éteindra progressivement sous le coup d'une interdiction royale de recevoir des novices. Pour conclure cette revue succincte des dix monastères qui ont peuplé Beaune, il convient enfin d'évoquer le cas des Bernardines. Leur installation à Beaune, à compter de 1637, fut le résultat du transfert de l'abbaye du Lieu-Dieu, seconde maison des Bernardines (ordre de Cîteaux), saccagée, comme pour les Chartreux, par les troupes de Galas. La nouvelle abbaye finira par occuper l'espace compris entre le rempart des Dames, l'actuelle rue Charles-Cloutier et une troisième limite fixée par la Bouzaize, qui traversait alors la ville à découvert, passant notamment sous l'Hôtel-Dieu. Là encore, la « rafle » révolutionnaire a provoqué

la disparition de cet ordre, dont les propriétés ont été morcelées puis détruites pour la plupart.

Beaune, berceau de la vie spirituelle pendant plus de trois siècles, a ainsi vécu. Il appartient désormais au visiteur attentif, à celui qui sait imaginer l'Histoire, de restituer, ici et là, toute l'étendue d'un phénomène unique. A lui, au hasard d'une sage promenade, de reconstituer cette formidable époque durant laquelle les robes des uns cohabitaient et croisaient, parfois, les voiles des autres.

**La façade
de la bibliothèque,
ex-couvent des Minimes,
sur laquelle on peut
encore voir
la devise « Charitas ».**

**Dans cette même
bibliothèque, l'escalier
est sans aucun doute
le plus bel héritage laissé
par les Minimes.**

Chez Drouhin, dont l'univers
est partagé entre l'église primitive
Saint-Baudèle et le cellier du roy,
le vin semble avoir trouvé
son siège pour l'éternité.

✳

Le bonheur est dans la cave

✳

(Ci dessus)
**Cette fresque visible à l'entrée
des immenses caves Patriarche
annonce la couleur : la vigne,
avant que le vin ne devienne vin,
n'engendre pas la mélancolie.**

L A RÉGION beaunoise compte près de 5 000 caves. Indispensables compagnes de l'habitat en région viticole, elles sont de tous les âges et de tous les styles. Romanes, gothiques ou modernes ; hautes, basses ou à colonnes ; aménagées ou abandonnées, elles sont indissociables du patrimoine beaunois qui leur doit une grande partie de sa notoriété mondiale.

Cet univers souterrain, que l'on devine par la présence de soupiraux chargés de maintenir la bonne température, et d'entrées calibrées selon la largeur d'un tonneau (rue des Tonneliers surtout), a ses vedettes. Quelques dizaines de caves ont, en effet, plusieurs siècles de vie derrière elles. A Beaune, sept d'entre elles sont même organisées sur deux niveaux. Leur visite est un mélange d'étonnement et de ravissement. Ne dit-on pas, justement, que « *le bonheur est dans la cave* » ?

L'histoire de la ville a réellement conditionné l'évolution de ces souterrains du plaisir. Les remparts, par exemple, ont bénéficié d'une pacifique et profitable reconversion avec le développement spectaculaire du négoce et des grandes maisons de vins. Les caves superposées qui y ont été aménagées sont liées aux plus grands noms de l'activité viticole bourguignonne : Chanson (boulevard des Filles), Patriarche (boulevard des Dames), Calvet (Grosse Tour), Bouchard Père et Fils (tours du château). Les prestigieuses caves du chapitre des chanoines de Notre-Dame (XIIIᵉ siècle), avec leur grand escalier et leurs quatre piliers ronds, sont la propriété de la maison Jaffelin. Le château de la Creusotte (maison Morot) et les caves Bouchard Aîné et fils du boulevard Jules-Ferry sont les autres caves à étages de la ville dont l'existence remonte au XIXᵉ siècle.

Les caves de la Reine Pédauque furent les premières, en 1949, à s'ouvrir au public. 150 000 personnes viennent chaque année à la rencontre de ce lieu du XVIIIᵉ siècle, ancien hôtel Brian. La visite se termine par une dégustation autour de la table en marbre qui symbolise les rayons du soleil illuminant les prestigieux crus de la Côte de Beaune et de la Côte de Nuits.

119

Parmi les nombreuses caves de la grande Maison Patriarche (15 000 m² au total), celles des visitandines et des chartreux sont les plus célèbres. Au plaisir de la dégustation, s'ajoute celui de la découverte d'un labyrinthe façonné par les deux siècles d'expérience des négociants-éleveurs.

121

Jean-Baptiste
Patriarche, un vigneron
de Savigny-les-Beaune,
commença à bâtir son
empire au lendemain
de la Révolution,
en 1796, avec l'acquisition
du couvent de la Visitation.
Ce personnage à la barbe
généreuse et à l'allure
noble, sorte de jovial
patriarche lui aussi,
est devenu un emblême
que l'on retrouve sur
une multitude de grandes
tables du monde entier.

Les Cordeliers,
dont le couvent
occupait tout l'espace
compris entre
l'Hôtel-Dieu
et les remparts,
ont laissé
ces superbes caves
en héritage.
Coupées en deux
par la rue
de l'Hôtel-Dieu,
elles sont aussi
partagées entre
le cloître des Cordeliers
et le Marché aux vins.

123

Aussi remarquables par leurs piliers, d'autres caves à plan unique résument à elles seules une grande partie de l'histoire locale. À commencer par celle des anciens couvents. De part et d'autre de la rue de l'Hôtel-Dieu, le Marché aux vins et les caves des Cordeliers (XIIIᵉ siècle) s'ouvrent ainsi sur l'univers du premier monastère beaunois. La visite de Patriarche, ex-couvent des Visitandines, transformé en négoce depuis deux siècles, permet de traverser un cadre fabuleux, avec les immenses caves des sœurs de la Visitation (XVIIᵉ siècle) reliées à celle des Chartreux (XIIIᵉ siècle). Chez Louis Jadot, dans un site rénové avec sérieux, c'est à la rencontre avec les Jacobins que le visiteur se rend.

Le cellier de l'abbaye de Maizière (XIIIᵉ siècle, hôtel Athanor), avec ses huit piliers soutenant des arcs croisés d'ogives de style gothique, est une pure merveille. Chez Drouhin, la remontée dans le temps se poursuit avec le Treuil du Roy, magnifique cave à piliers du XIVᵉ siècle, mais aussi et surtout l'église Saint-Baudèle (VIIIᵉ siècle) : cet édifice religieux, qui fut la maison canoniale de Beaune avant la collégiale, est aujourd'hui devenu un lieu de réception.

L'ancienne abbaye Saint-Martin-de-l'Aigue (maison Ponnelle), l'ex-hôtel de l'abbé de l'abbaye Sainte-Marguerite (Bouchard Aîné et Fils), l'ex-abbaye de Saint-Martin (caves du XIIIᵉ siècle, Mallard-Gaulin), les nombreuses caves Viollant (XVᵉ, XVIᵉ siècles) et les Battistines, près de la place de la Madeleine, comptent parmi les autres lieux de rencontre avec l'Histoire et la dégustation. Mais les caves sont aussi le meilleur terrain d'expression de la puissance des grands vins de Bourgogne, omniprésents à Beaune. Avec celles de la Reine-Pédauque, premières caves-exposition à Beaune, Latour, Champy, Moingeon, et toutes les autres qui n'ont pas été citées, la démonstration en est faite à chaque instant.

Dans les caves Louis Jadot (ci-dessus), **dont le patrimoine comprend aussi l'église des Jacobins.**

Dans la tour de l'Oratoire (à gauche), **transformée en cave à trois niveaux. La maison Chanson, qui compte parmi les pionnières du négoce beaunois, possède aussi un domaine de 45 hectares ainsi qu'une cuverie moderne capable d'accueillir 3 000 hectolitres de vin.**

Le cellier de l'abbaye de Maizière (1242, hôtel Athanor) et ses piliers soutenant de magnifiques arcs croisés d'ogives de style gothique.

125

Le grand hall, au rez-de-chaussée
de la Chambre de commerce et d'industrie,
orné de boiseries realisées, à l'origine,
pour garnir le grand stand des vins de Bourgogne
à l'Exposition universelle de 1889 à Paris.

*

La capitale
de la Bourgogne
viticole

*

Partout dans la ville, sur les façades des restaurants ou ailleurs, la vigne et ses saints sont dans leur élément.

128

Le lycée viticole, a été créé dans un souci pédagogique évident, mais il était là aussi, dès sa naissance, pour apporter des éléments de réponse à la crise phylloxérienne.

L A FOULE TOURISTIQUE qui envahit les quartiers de la ville à longueur d'année est la conséquence directe de cet étonnant assemblage entre la vie du vin et un passé omniprésent qui caractérise Beaune. Sans les professionnels du négoce et de la vigne, il est vrai que les remparts n'auraient sans aucun doute pas survécu d'aussi belle manière. C'est en utilisant cette pierre épaisse, dressée par leurs ancêtres, que les Beaunois ont trouvé le refuge idéal pour le divin breuvage qui fait leur gloire. Les tours bâties par les défenseurs, et les caves héritées pour la plupart des ordres religieux, sont aujourd'hui devenues des temples du vin. La magie de ce haut lieu du commerce qu'est Beaune depuis la nuit des temps à fait le reste. La capitale de la Bourgogne viticole s'est donc imposée d'elle-même, sans faiblir, avec un constant souci de porter au plus haut la notoriété de son titre.

Cette digne capitale qui compte à peine plus de 22 000 habitants a organisé son activité économique autour d'un tourisme bicéphale, provoqué d'un côté par la forte affluence que connaît l'Hôtel-Dieu (450 000 visiteurs en moyenne chaque année), et relayée de l'autre côté, de savoureuse manière, par les visites de caves, la dégustation et la splendeur des vignobles alentour. Rien que pour situer l'implication du monde du vin dans la vie beaunoise, il suffit de rappeler que le négoce des vins et les industries connexes, qu'elles soient liées à la fabrication et à la distri-

bution de matériels et produits pour la viti-viniculture ou encore à l'impression des étiquettes et aux emballages représentent, au bas chiffre, environ 3 000 emplois. L'hôtellerie propose, pour sa part, plus de 2 100 chambres aux touristes de passage et emploie près d'un millier de personnes. Le bâtiment, les commerces et les transports qui dépendent directement de cette activité permettent d'affirmer que cette entité économique occupe deux travailleurs privés sur cinq à Beaune.

Les rencontres internationales de musique, dont le très réputé festival De Bach à Bacchus,

Séance de dégustation pour les élèves du lycée viticole, dans la chapelle du XIᵉ siècle de l'abbaye Saint-Martin, restaurée à la fin du siècle dernier. C'est ici que Pierre Ponnelle, élève de Pasteur et de Bunsen, a effectué des travaux qui ont considérablement fait évoluer l'approche de la vinification.

Les Perrières, un premier cru que le lycée viticole partage avec d'autres propriétaires, dont Louis Latour, doivent leur nom à l'ouvrier carrier jadis appelé le « perrier ».

Témoignage de l'ancienneté viticole de Beaune, cette pierre d'échoppe est visible au musée du Vin.

tout comme les fêtes de la vigne et la Vente des Hospices de Beaune, comptent parmi les temps forts d'une saison qui s'étale pratiquement sur dix mois de l'année. Là est, justement, la force du vin, mystique et mythique à la fois, capable de dépasser le facteur météorologique du tourisme habituel pour séduire l'amateur. Dans une région où la moitié des visiteurs sont d'origine étrangère, Allemands et Anglais surtout, cette affluence salue, une fois encore, les vertus miraculeuses de Bacchus. Sans lui, sans ce dieu barbu, jovial lorsqu'il est sur son tonneau, imposant et patriarcal

lorsqu'il est sculpté dans le mur d'un lieu officiel, Beaune ne serait pas vraiment Beaune.

Les institutions viti-vinicoles ne se sont pas laissé abuser par la question. Le Bureau interprofessionnel des vins de Bourgogne, le tout puissant ambassadeur, a son siège à Beaune. Le Syndicat des négociants, ces acteurs d'une logique commerciale qui permet de faire connaître la « Burgundy » sur les cinq continents, est quant à lui installé place Carnot. Depuis le XVIIIᵉ siècle, époque où une demi-douzaine d'hommes ambitieux décidèrent de prendre leur bâton de pèlerin,

La décoration, élément valorisateur du commerce du vin, occupe une place de premier choix dans les vitrines.

Au clos Saint-Bernardin, la vigne aborde des aspects pédagogiques. Le chardonnay s'expose au grand jour et à la vue des touristes passant par là.

et de convaincre les populations plus ou moins lointaines que leur région avait de bien belles choses à leur proposer, le négoce a connu un essor extraordinaire. Bravant les péripéties et les drames liés à la fragilité de la vigne, ils se sont battus pour imposer la Bourgogne sur les tables du monde entier, prenant en quelque sorte le relais des grands, évêques, ducs et chanoines, qui firent autrefois valoir, par monts et par vaux, les mérites du terroir dont ils étaient les représentants. Ces négociants, pionniers et passionnés, se sont aventurés au-delà des mers pour la bonne cause. Naturellement, ils ont transmis leur savoir de père en fils, la génération d'après-guerre ayant eu le privilège de bénéficier d'une croissance favorable. Ces grandes familles du vin ont plus récemment cherché à s'adapter aux aléas de l'évolution, affrontant aussi bien la fluctuation du dollar que le crach pétrolier ou la frilosité consécutive à la guerre du Golfe, pour préserver un empire qui joue de plus en plus les cartes de la mondialisation et de la qualité. Et si certains grands noms, comme Bouchard Père et Fils ont basculé dans l'escarcelle d'autres grandes maisons issues de terroirs voisins (il s'agit, dans l'exemple cité, de la maison champenoise Henriot), les patronymes comme Bichot, Chanson, Champy, Drouhin, Martenot, Jaboulet-Vercherre, Jadot, Latour, Remoissenet et autres, s'affichent toujours sur les façades de leurs imposants établissements, aussi fièrement que sur leurs étiquettes. Cas un peu à part dans cet univers typiquement beaunois, l'en-

Mon nom est beaune

Mes sols sont composés de calcaires bruns, irrégulièrement mêlés d'argile et de sable. Sur les 652 hectares de mon vignoble, 450 portent mon nom : 322, en premier cru, se répartissent entre 39 climats ; 128 autres, majoritairement plantés en pinot noir et un peu en chardonnay, sécrètent leurs parfums d'aubépine et de rose en bas du coteau.

De nombreux domaines, de toutes tailles, s'occupent de moi. Le plus prestigieux d'entre eux est celui des Hospices. Mais les vieilles familles du terroir me témoignent aussi une grande affection depuis la nuit des temps. Je me sens donc bien dans le plus gros village viticole de la Côte-D'or.

D'une parcelle à l'autre, il m'arrive pourtant de changer de caractère. Souple, soyeux et très bouqueté lorsque je viens du Clos du Roi ; d'une exquise finesse à la saveur chaude, délicate et à l'haleine douce et parfumée lorsque je garde en moi le souvenir de mes chères carmélites (elles me surveillaient sur les flancs du mont Battois) ; franc de goût, souple et délicat lorsque je m'exprime dans les Champs Pimont ; je sais aussi me montrer beau, charnu, corsé tout en restant fin lorsque l'on vient me chercher aux Aigrots.

Parfois, comme au Clos Saint-Landry, je me rapproche des grands meursault. Au Clos des Mouches, je pique l'intérêt de celui qui aime le velouté, l'élégance et le fruité. Aux Vignes Franches, où je me laissais jadis entretenir par les Ursulines, je m'affiche robuste et puissant, à la manière de mes voisins premiers crus de la Côte de Nuits. Ainsi, je suis un et multiple à la fois. Mon nom est beaune.

treprise Patriarche, sous l'impulsion de son grand développeur André Boisseaux, s'est aussi engagée sur le terrain des pétillants avec la marque Kriter, et dans le domaine culturel au sens large du terme avec l'Athaeneum, la seule librairie spécialisée en la matière. Beaune et, dans une moindre mesure Nuits-Saint-Georges se sont ainsi taillé la part du lion dans le négoce des vins de Bourgogne.

Les associations de viticulteurs de la Côte-d'Or, réunies sous une même bannière, ont aussi choisi de créer leur Maison de la viticulture de la Côte-d'or dans le faubourg Saint-Nicolas, village

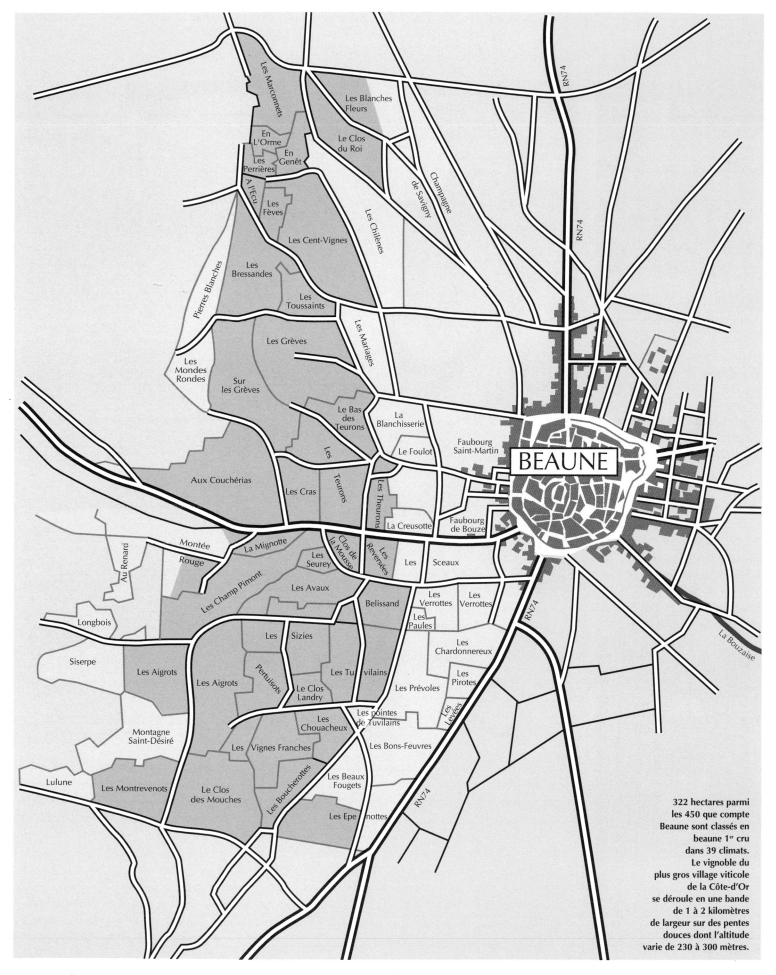

Les Marconnets

Les Blanches Fleurs

En L'Orme

En Genêt

Le Clos du Roi

Les Perrières

A l'Écu

Les Fèves

Les Cent-Vignes

Les Chilènes

de Savigny

Champagne

RN74

Pierres Blanches

Les Bressandes

Les Toussaints

Les Grèves

Les Mariages

Les Mondes Rondes

Sur les Grèves

Le Bas des Teurons

La Blanchisserie

Faubourg Saint-Martin

Aux Couchérias

Les Cras

Les Teurons

Le Foulot

Les Theurons

BEAUNE

131

La Creusotte

Faubourg de Bouze

Montée Rouge

La Mignotte

Les Seurey

Clos de la Mousse

Les Reversées

Les

Sceaux

Au Renard

Les Champ Pimont

Les Avaux

Belissand

Les Verrottes

Les Verrottes

Longbois

Les Sizies

Les Paules

RN74

Siserpe

Les Aigrots

Pertuisots

Les Tuvilains

Les Chardonnereux

La Bouzaise

Les Aigrots

Le Clos Landry

Les Prévoles

Les Pirotes

Montagne Saint-Désiré

Les Chouacheux

Les pointes de Tuvilains

Les Levées

Lulune

Les Montrevenots

Les Vignes Franches

Les Bons-Feuvres

Le Clos des Mouches

Les Boucherottes

Les Beaux Fougets

Les Epenottes

RN74

322 hectares parmi les 450 que compte Beaune sont classés en beaune 1er cru dans 39 climats. Le vignoble du plus gros village viticole de la Côte-d'Or se déroule en une bande de 1 à 2 kilomètres de largeur sur des pentes douces dont l'altitude varie de 230 à 300 mètres.

Le clos du roy, souple, soyeux et très bouqueté, un premier cru très apprécié *(ci-dessus)*. **Le clos des fèves,** *ci-dessous)* **avec sa finesse du goût et sa délicatesse de l'arôme digne de certains grands crus, compte aussi parmi les fleurons du terroir local que propose la cave Sainte-Hélène.**

— 132

de vignerons s'il en est. Comble d'aisance, la formation des futurs professionnels de la vigne et du vin est assurée avec panache par le lycée viticole local. Lorsqu'il fut créé, en 1885, sous le nom d'« école pratique d'agriculture et de viticulture de Beaune », cet établissement associait la volonté de former les hommes à celle de rechercher des moyens plus aptes à combattre le phylloxéra. D'année en année, il a suivi et même devancé les exigences d'une profession aux nombreux métiers, s'ouvrant à l'œnologie, à la tonnellerie (la seule section de CAPA existant en France) et à la

pédagogie grandeur nature grâce à un domaine de 19,3 ha de vignes, qui produit, avec le sérieux d'une exploitation traditionnelle, six vins A.O.C. : beaune 1er cru, beaune, puligny-montrachet, côte-de-beaune, hautes-côtes-de-beaune et bourgogne. Formés aux cycles longs et courts, ses élèves, selon qu'ils décrochent un baccalauréat, un diplôme d'études supérieures, ou bien passent par le centre de formation professionnelle, sont les maîtres de chais, les courtiers, les cavistes, les conseillers ou encore… les vignerons de demain. 120 à 130 diplômés originaires de toute la partie

les coteaux les mieux exposés des collines de l'arrière-pays, totalise 410 hectares. Mais pour la seule A.O.C. communale de Beaune, il faut compter 400 hectares pour une production de 15 700 hectolitres de rouge dont les deux tiers sont des premiers crus, et 1 000 hectolitres de blancs. Ses 47 climats premiers crus recensés soulignent une évidence : les vins de Bour-gogne, qui tentent si bien de se faire reconnaître sous des appellations mondialement connues, sont issus d'un terroir d'une incroyable complexité !

Mais tout cela n'est pas forcément l'essentiel pour le visiteur. Ce dernier préfère aller directement au stade de la dégustation sans passer par la rébarbative case économique, pour améliorer son vocabulaire d'amateur éclairé ou non, et apprendre à analyser la limpidité, la brillance, l'intensité et les nuances aromatiques d'un vin, à la rencontre des nombreux professionnels de la place. Les bonnes tables ne manquent pas, les points de vente non plus. Les commerçants de Beaune, indissociables de la vie du terroir, privilégient volontiers le conseil à la vente forcée. A Beaune comme dans toute la Bourgogne, le vin est source de commentaires, et se partage par la justesse des mots et le sens du contact. Différents lieux, comme l'Académie du vin, les caves ouvertes au public et, plus simplement encore, les magasins où rien de ce qui concerne le vin n'est ignoré, sont là pour conduire l'homme assoiffé de connaissance sur le terrain du bien-être. C'est, après tout, ce que l'on appelle le plaisir.

La Vierge aux raisins, visible au musée du vin, ou l'expression artistique des liens qui unissent le terroir aux cieux.

Le lycée viticole propose la seule section de CAPA option tonnelier existant en France (à gauche et ci-dessous). L'enseignement de ce métier emblématique de l'univers du vin est notamment assuré par un Meilleur Ouvrier de France.

est de la France couronnent cet enseignement qui affiche un taux de réussite de l'ordre de 80 %.

Cela rappelle, autant que le faste lié à la vie touristique et commerciale, que Beaune est aussi le plus grand village viticole de la Côte-d'Or. Dans les 4 800 hectares du vignoble de la Côte de Beaune, qui doit beaucoup au travail des moines de Cîteaux et de Cluny, on récolte, entre Aloxe-Corton au nord et Les Maranges au sud, environ 25 millions de bouteilles réparties en deux tiers de vins rouges et un tiers de vins blancs. Plus discrètement, l'appellation hautes-côtes-de-beaune, sur

*

Beaunois
d'exception

135 ⟶

*

Jacques de Molay

LA MALÉDICTION DU GRAND MAÎTRE

« CLÉMENT *et toi Philippe, je vous assigne tous deux au tribunal de Dieu. Toi Clément, à quarante jours, toi Philippe, dans l'année, et que la malédiction s'abatte sur ta lignée jusqu'à la troisième génération.* » La sentence de Jacques de Molay, adressée à ses tortionnaires, puis rapportée par un historien du nom de Villany, ébranle l'Ile aux Juifs sur laquelle le Grand Maître du Temple brûle dans le bûcher dressé pour lui. Nous sommes le 18 mars 1314, jour fatidique pour l'ordre du Temple. Un mois plus tard, Clément V mourra de maladie. Le 29 novembre de la même année, Philippe le Bel disparaîtra à la suite d'une partie de chasse. Cette malédiction inspirera bien plus tard l'œuvre de Maurice Druon, « Les Rois maudits ». Le mystère qui émane d'elle est à l'image de ce que furent les Templiers. Acteurs d'un système complexe et élaboré dans le temps, ils puisaient dans la guerre comme dans la religion les forces qui surent les imposer comme une puissance incroyable, capable aujourd'hui encore, d'exciter l'imagination

Ici CHAPELLE des TEMPLIERS
où JACQUES de MOLAY 1243 – 1314
fit SERMENT de CHEVALIER du TEMPLE
en 1265

la moins fertile. La mission originelle de l'Ordre, fondée sur la protection des chemins qui menaient en Palestine, avait atteint des sommets gênants aux yeux de l'Eglise et de la haute noblesse. Jacques de Molay, le dernier Grand Maître, fit les frais, aux côtés de milliers d'autres, d'un massacre organisé par Philippe le Bel. Comme la majorité des fondateurs de l'Ordre, c'est un Bourguignon.

Charles Aubertin, dans une notice sur la chapelle de Beaune, le désigne comme le petit-fils, par sa mère, de Mathey, sire de Rahon, terre qui comptait le village de Molay au nombre de ses dépendances. En 1265, Jacques de Molay fut reçut dans l'Ordre, « *en la chapelle du temple de Beaune par Hubert Pa rraud, en présence de frère Amaury de la Roche et d e plusieurs autres chevaliers* », comme le déclara l'intéressé, en 1307, lors de son interrogatoire. « *Parmi ses frères* », rappelle Charles Aubertin, « *on trouve Gauthier, de Beaune, Gérard, de Beaune, Odo, de Beaune, Guillaume, de Beaune, Jean, de Beaune, Morel, de Beaune, et Laurent, de Beaune.* » Cette chapelle fut érigée à son emplacement actuel, au faubourg Saint-Jacques, dont le nom peut être aussi bien lié à la fréquentation des chemins de Saint-Jacques qu'à l'ordre du Temple. Après les événements qui marquèrent la fin de ce dernier, elle revint aux Hospitaliers de Saint-Jean-de-Jérusalem. Parce que située à l'écart de la ville, elle accueillit, aux XVIe et XVIIe siècles, les malades atteints par la peste. Puis elle fut plus ou moins abandonnée. On peut reconnaître cet édifice à la petite croix qui le surmonte encore. Une plaque souligne l'importance de ce lieu dont l'apparence anodine est en totale opposition avec l'ampleur que connut le grand ordre des templiers.

Sœur Parigot

HISTOIRE D'UNE SAINTE

DÈS SA NAISSANCE, le 7 février 1619, Marguerite Parigot est associée au destin du carmel fondé à Beaune. Léonard Bataille, son oncle chanoine de la collégiale, n'hésite pas, en effet, à abandonner ses droits sur l'ancien prieuré bénédictin de Saint-Etienne dont il est le « prieur commendataire », au profit des Carmélites désireuses de s'installer dans ce lieu à l'état de ruines, en juillet de la même année. Seule condition à un tel « acte de générosité » : le chanoine impose sa nièce, alors âgée de six mois, en qualité de fondatrice.

Marguerite est une enfant exceptionnelle. A cinq ans elle possède l'usage de la raison et manifeste une piété hors du commun. A l'école des Ursulines, son assiduité aux leçons de religion en fait la « petite régente », chargée de faire répéter ses condisciples plus âgées. Petite, menue (elle ne dépassera jamais la taille de 1,30 m.), Marguerite a les traits fins et, surtout, un visage mince, allongé, au teint très blanc qui marquera à jamais les esprits. Ce qui n'enlève rien à sa capacité de prendre les choses en main. A dix ans, elle fait ainsi une réflexion d'une surprenante maturité : « *Quand le bon Dieu nous envoie des souffrances, nous devons nous efforcer des les cacher en nous, de ne pas les montrer aux autres qui ne sont pas chargés de les porter.* »

C'est à la mort de sa mère, le 23 septembre 1630, qu'elle entre dans l'église du carmel où elle se sent inondée de joie malgré le deuil. Sa venue est considérée comme un don du ciel au sein de la communauté qui s'étonne des dispositions de cette enfant de onze ans et demi. Son adaptation au rythme de vie et, surtout, à la dévotion de l'Enfant Jésus propre à l'Ordre, est stupéfiante. Puis elle prédit certains événements, dont la disparition du bon abbé de Brétigny, cher aux carmélites de Beaune. Mais l'euphorie de cette situation cède vite la place à l'enfer des convulsions, les « *assauts du démon* », trop rapidement assimilés à de l'épilepsie par les médecins, que seule peut combattre la proximité du saint sacrement. Tout sera tenté pour la sortir de cette prison de l'esprit. Jusqu'à une trépanation au cours de laquelle la frêle novice déclarera, à la grande stupé-

faction de tous, que « *cela n'est rien en comparaison de la couronne d'épines de Notre Seigneur.* »

Novice à l'âge de douze ans, soit quatre ans avant l'âge canonique de faire profession, elle communique avec les saints. Les sœurs la voient « *lavée de pureté, teinte d'innocence, embaumée de chasteté.* » Lévitation, éclat physique et autres phénomènes surnaturels accompagnent sa progression dans la foi. En 1632, elle reçoit ainsi le sacrement de confirmation et, pendant le carême, reproduit successivement les états du Christ en sa passion. On lui attribue aussi des guérisons, et, à son intercession, la naissance de Louis XIV, qui met un terme à vingt-trois années de stérilité pour Anne d'Autriche. Le Roi Soleil, bien plus tard, viendra s'agenouiller devant le tombeau de Marguerite.

Le 26 mai 1648, elle décède à l'âge de 28 ans, épuisée par les souffrances endurées sans plaintes. Le corps de « *la bienheureuse* », comme l'appellent les habitants, exposé derrière la grille du chœur de l'église du couvent, fait l'objet d'une véritable vénération. Sa figure est belle, exempte de toute marque laissée par la maladie. Des couvents de toute la France demanderont des reliques de Marguerite du Saint-Sacrement. Les pèlerinages se succéderont au couvent, les dons au profit du monastère aussi, permettant notamment de construire l'église Saint-Etienne actuelle.

Canonisée au début de ce siècle, Marguerite du Saint-Sacrement fait encore l'objet de cultes au nouveau monastère des Carmélites de Beaune où ses reliques sont emmurées. Elle est à jamais associée à la mémoire de la ville.

Gaspard Monge

LA SCIENCE FAITE HOMME

UNE PLACE porte son nom. Au milieu de celle-ci, une statue lui rend hommage : à n'en point douter, Gaspard Monge est bien un enfant du pays. Fils d'un forain prospère, Gaspard Monge voit en effet le jour à Beaune le 10 mai 1746. Formé comme ses deux plus jeunes frères par les Oratoriens du collège, il montre très tôt de rares dispositions en mathématique et dans l'art de la géométrie. C'est d'ailleurs un plan de la ville exécuté avec son ami Etienne Fion qui, à l'âge de 18 ans, le fait remarquer des autorités locales. Le conseil de la ville décide alors de verser 300 livres à ces talentueux et précoces géomètres. Soutenu par le lieutenant-colonel Vignau, Gaspard Monge fait aussitôt son entrée à l'école royale du génie de Mézières. Répétiteur puis professeur de mathématiques et de physique de cette même école, il est successivement élu en 1780 à l'Académie des sciences, section géométrie, puis nommé, en 1783, examinateur des élèves officiers de la marine.

Membre du club des Jacobins à la Révolution, il devient ministre de la Marine le 10 août 1792. Plus à l'aise dans le concours qu'il apporte à l'effort de guerre que dans le domaine de la politique, il démissionne de son poste sept mois plus tard, mais en profite, entre-temps, pour encourager sa ville natale à accroître la culture du chanvre, « *celui du département de la Côte-d'Or ayant la meilleure réputation.* » C'est à cette époque aussi qu'il crée, avec la commission des Travaux publics, l'Ecole centrale des Travaux publics, la future et fameuse Ecole polytechnique, au sein de laquelle il développera un prestigieux cours de géométrie descriptive. Il prend part alors à la campagne d'Egypte, au cours de laquelle il noue des liens amicaux avec

Bonaparte. L'Empereur le comblera d'honneurs, le nommant sénateur puis comte de Péluse. Mais l'arrivée de Louis XVIII lui fera connaître la disgrâce.

Sa vie durant, ce grand savant est resté fidèle à sa ville natale. En 1812, il intervient ainsi auprès de son ami le chimiste Guyton de Morveau pour, à la demande du maire de Beaune, remédier à l'épidémie de typhus qui sévit parmi les prisonniers espagnols détenus dans la ville. Peu après la Révolution, il soutient la création de la bibliothèque municipale. Après sa mort, Catherine Huart, son épouse, avec laquelle il a eu trois filles, fait don de 3 000 francs pour la création d'une récompense annuelle « *décernée à l'élève du collège de Beaune qui sera le plus distingué en mathématique* ».

En retour, la ville ne pouvait pas moins faire que de lui rendre hommage. Un portrait de Gaspard Monge, réalisé par Jean Naigeon, un autre Beaunois, peintre et conservateur du musée du Luxembourg, est déjà inauguré en 1812. Décédé à Paris le 18 juillet 1818, le savant est à nouveau salué, à titre posthume, par l'érection, en 1849, d'une statue dont la réalisation est confiée au célèbre sculpteur dijonnais François Rude. Commandée et financée grâce à une souscription d'envergure nationale, soutenue par des membres éminents de la communauté scientifique dont certains furent des élèves de Monge, cette statue est désormais classée monument historique.

Etienne-Jules Marey

L'HOMME PAR QUI VINT LE CINÉMA

É LE 5 MARS 1830 sous le prénom d'Etienne, baptisé « Jules-Etienne » deux mois plus tard, le petit Marey, fils du fondé de pouvoir de la maison de vins Bouchard, joue déjà sur plusieurs terrains à la fois. Plus tard, ses amis l'appelleront volontiers Jules. C'est pourtant sous le prénom d'Etienne-Jules, voire Etienne, qu'il se fera connaître du monde entier !

Aussi, en opposition à la destinée cléricale que lui prédisent ses parents, Jules se sent-il très tôt l'âme d'un ingénieur. Avec son ami Julien Bouchard, fils de l'employeur de son père, il fabrique un « polichinelle automate ». Ce n'est que le début, pour lui, d'une incessante recherche de perfectionnement et, à défaut d'inventions pures, d'améliorations astucieuses et créatives des nouvelles techniques qui apparaissent ici ou là.

Reçu premier à l'internat des hôpitaux de Paris, en 1854, il a ainsi de la physiologie une approche très expérimentale. La notion du mouvement s'annonce comme le fil d'Ariane de toute son œuvre, assortie d'un principe qu'il ne cessera d'appliquer et que d'aucuns baptiseront la triade mareysienne : capter, transmettre et enregistrer. Grâce à Marey, le sphygmographe de l'Allemand Vierordt, trop lourd, peu maniable et peu précis, devient l'outil fiable du praticien, Marey est un pionnier de la cardiologie moderne. Son ouverture d'esprit sur ce qui se fait dans d'autres écoles et dans d'autres pays, tout comme son obsession du perfectionnement, lui permet de créer l'ancêtre de l'appareil qui mesure notre tension aujourd'hui. Brillant, reconnu par ses pairs, Marey, alors âgé de 39 ans, succède à Flourens au Collège de France. Médecin de formation, il se sent aussi physicien, ingénieur, instrumentaliste et mécanicien. Solitaire et indépendant, il séjourne à Paris, s'exile en Italie et se retire volontiers dans son Domaine de la Folie, près de Chagny. Ses appartements sont encombrés de machines étonnantes et d'appareils de son invention. Sorte de Léonard de Vinci de la fin du deuxième millénaire, il apporte à la civilisation, sans forcément s'en rendre compte, autant

que son illustre prédécesseur. C'est en effet par sa capacité de sortir du champ purement scientifique, pour emprunter ceux de l'esthétique et de l'amour de la nature, qu'il révolutionne la connaissance. A force de vouloir étudier et « immortaliser » les étapes du mouvement d'un cheval sur la piste, d'un vol d'oiseau dans les airs, ou des vagues de la mer, il ne cesse de faire progresser la technique de l'image. Le fusil photographique est une des étapes de son avancée scientifique. Puis vient la chronophotographie. A la fin du XIXᵉ siècle, cette technique permet de détailler la progression d'un coureur ou de tout autre mouvement. Elle introduit véritablement l'ère cinématographique. Un siècle après, « *l'artisan du monde moderne* », reçoit plus que jamais les hommages d'un musée et d'une association de passionnés à Beaune. Une statue érigée sur la place Marey, réalisée en 1911 par le sculpteur bourguignon Henri Bouchard, rappelle aussi quel fut l'apport de ce grand scientifique au travail des artistes.

139

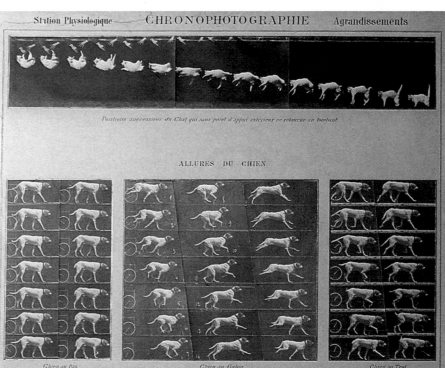

Félix Ziem

PAYSAGISTE ET VOYAGEUR

FILS D'UN TAILLEUR d'origine polonaise et d'une Nuitonne du nom d'Anne-Marie Goudot, le petit Félix voit le jour à Beaune, le 25 février 1821. Mis en nourrice chez les Leblanc, à Bouilland, il n'affiche pas un goût prononcé pour les études. En 1834, son père le place donc chez un ami architecte à Dijon, où la famille vient de s'installer. Déterminé, l'adolescent s'inscrit à l'école des beaux arts que dirige le peintre Anatole Devosge, élève de David. La vente de quelques dessins et aquarelles lui apporte quelques revenus complémentaires. Mais, en 1838, son caractère lui joue un mauvais tour. En présence du préfet, Félix proteste bruyamment pour ne pas avoir obtenu la bourse d'études promise avec le prix d'architecture qu'il venait pourtant de décrocher. Exclu de l'école, il part un peu plus tard pour Marseille, en désaccord avec son père qui ne comprend pas son entêtement à faire de la peinture. Très vite, le jeune conducteur de travaux qu'il est devenu se fait surtout apprécier pour ses talents de paysagiste. Son patron, chargé de construire le canal de Marseille, présente deux de ses aquarelles au duc d'Orléans, qui devient l'un de ses premiers acheteurs. Les riches amateurs d'art, dont la famille Charles-Roux, commencent à lui assurer de confortables revenus. C'est le début d'une heureuse carrière de peintre. Sa vie ne sera désormais qu'une succession de voyages en Italie, en Allemagne, en Russie ou en Orient, entrecoupés de haltes plus ou moins longues à Marseille, à Nice, à Martigues, à Montmartre et à Dijon notamment. Venise, Constantinople et la lumière méditerranéenne inspirent régulièrement son œuvre. On peut y voir une préfiguration floue de l'impressionnisme, disent les spécialistes. Très productif, très à l'aise aussi dans les salons, il enseigne aux princesses et multiplie les précieuses relations parmi les artistes et les écrivains : Théodore Rousseau peint en sa compagnie ; les frères Goncourt le reçoivent chez eux ; Van Gogh, l'oncle de Vincent et de Théo, compte

parmi ses plus fidèles marchands ; Rodin et Théophile Gautier correspondent avec lui. Les musées lui passent de nombreuses commandes. Le public l'aime, même si les critiques l'égratignent parfois. Infatigablement, il analyse et commente son travail dans des carnets. Curieux de lumière et d'organisation graphique, la photographie l'intéresse beaucoup. Ziem, en fait, possède une remarquable énergie. Cette vie intense ne parvient pas pour autant à lui faire oublier ses racines bourguignonnes. De temps en temps, il revient à Beaune ou à Bouilland pour y retrouver des amis. Un somptueux banquet est ainsi organisé en son honneur dans sa ville natale, en 1883. Non sans émotion, il retrouve sa chère maison de la rue Monge. En 1897, dix ans avant que Paris ne fasse de même, Beaune donne le nom de Ziem à une de ses rues. Peu rancunier, le peintre fait même cadeau du projet d'école de médecine qui lui valut son prix d'architecture, à l'école des beaux arts de Dijon !

Compagnon depuis 1877 d'Ursulle Treilles, de 36 ans sa cadette, Ziem l'épouse en 1904. Le 10 novembre 1911, elle est à ses côtés lorsqu'il s'éteint dans son atelier de la rue Lepic à Paris. Malgré tout ce qu'il a vendu ou donné, il laisse près de 5 000 peintures, esquisses, pochades, aquarelles et dessins. Selon ses vœux, 400 de ces œuvres seront distribuées dans les musées de France. En décembre 1911, juste retour des choses, Mme Ziem effectue la première donation au musée de Beaune.

Chevrolet frères

LES AS DU VOLANT

Lorsque Joseph-Félicien et Marie-Anne Angéline Chevrolet quittent leur Suisse natale pour s'installer en Bourgogne, avec leurs cinq enfants, le premier mai 1887, rien ne permet de leur prédire un destin international. La famille Chevrolet ne roule pas sur l'or que Joseph-Félicien doit continuer à travailler, réparant montres et horloges. Il faut même, en ces temps de vaches maigres, savoir accepter lapins et autres victuailles en échange des prestations fournies. Malgré de bons résultats à l'école, les enfants sont mis au travail dès l'âge de onze ou douze ans. Louis, le second de la fratrie, s'initie à la mécanique sur les cycles de l'atelier Roblin tout proche. Sportif accompli, il brille dans les courses de vélo de la région et court après les primes. A l'énergie qu'il déploie, Louis ajoute la curiosité et l'amour du risque. Depuis qu'il a dépanné un automobiliste à Beaune, par un matin froid de printemps de l'année 1893, il sait quel sens donner à sa vie. Il n'hésite pas à gagner la région parisienne pour devenir un bon mécanicien. Puis, en 1900, il part avec son ami Gonthier au Canada.

Sur la terre promise américaine, sa carrière sera fabuleuse. Après avoir fait ses classes chez de Dion Bouton, Fiat à New York, lui donne l'occasion de devenir célèbre. En 1905, année faste, il cumule les victoires au volant de sa Fiat de 90 cv et épouse Suzanne Treyvoux, une française de 17 ans. Après le décès de son père à l'Hôtel-Dieu de Beaune, sa mère, ses frères et sœurs l'ont rejoint.

Casse-cou, insatiable perfectionniste, génie de la mécanique, Louis réunit toutes les qualités du parfait pionnier de l'industrie automobile. Ses exploits, en vitesse pure comme en course, le font remarquer par William Crapo Durant qui l'embauche, en 1908, à la tête de l'écurie de course Buick. Arthur, frère de Louis et pilote occasionnel, devient le chauffeur personnel du patron de G.M.C… Deux ans après naît la " Classic Six ", produite par la " Chevrolet Motor Company of Michigan " qui sera plus tard division de la General Motors Corporation.

En 1913, une brouille entre Durant et Chevrolet conduit ce dernier à prendre le large, abandonnant tous ses droits sur une marque qui deviendra mondialement connue. A son tour il se lance dans la construction de voitures de courses, les Frontenac, qui triompheront aux 500 miles d'Indianapolis. Mais la mort de son jeune frère Gaston, sur le circuit de Beverly-Hils en 1920, incite Louis, lui même rescapé d'un nombre incroyable d'accidents, à abandonner la compétition. Talentueux constructeur, son sens des affaires semble plus discutable. Un temps soutenu par Champion, le fabricant de bougies, sollicité par Henri Ford pour transformer la célèbre Ford T, il est souvent passé à côté d'une destinée de magnat de l'automobile. Reconverti dans les moteurs d'avions, il se fâche avec son frère Arthur qui devient à son tour son concurrent. A nouveau précurseur dans un domaine, il laisse à nouveau fortune et réussite aux autres. Malade et fatigué, il s'éteint au printemps 1941. Louis repose désormais aux côtés de son frère Gaston et de son fils Charles, à Indianapolis, tout près de l'usine qu'il avait fondée et du circuit qui l'avait rendu célèbre. Un mémorial lui rend hommage.

Louis et Arthur, à l'époque de leur franche collaboration

Arthur et Louis (debouts à gauche), Gaston (premier plan), et leur famille, à Beaune, en 1898.
(d'après « Chevrolet, un nom… une famille », de Jacques Chevalley.)

Bibliographie

• **Charles Aubertin,** *Les Rues de Beaune. Histoire populaire et anecdotique de cette cité.* Laffitte reprints, 1867 réédité en 1978.

• **Sophie Biass-Fabiani et Gérard Fabre,** *Félix Ziem, journal (1854-1898),* Actes Sud, 1994.

• **Jacques Chevalley** - *Chevrolet, un nom, une famille,* Chevalley, 1992.

• **Docteur Georges Chevaillier** *Du quinquina à la cortisone,* Centre beaunois d'études historiques, 1994.

• *La Chronophotographie,* Association des amis de Marey, 1984.

• **François Dagonnet,** *Etienne-Jules Marey,* Hazan, 1987.

• **Odile Delenda,** *Rogier Van der Weyden,* Editions du Cerf et du Tricorne, 1987.

• **Joseph Delissey,** *Le Vieux Beaune, étude d'histoire locale,* Laffitte reprints, 1941, réédité en 1980.

• *Fondation et Statuts de l'Hôtel-Dieu de Beaune,* Imprimerie H. Roualet, 1978.

• **Brigitte Fromaget et Nicole de Reyniès,** *Les Tapisseries des hospices de Beaune,* Images du patrimoine, 1993.

• *Gaspard Monge, professeur et savant,* Ville de Beaune, 1989.

• **Sœur Grivot,** *Marguerite du Saint-Sacrement,* Carmel de Beaune, 1986.

• **Arthur Kleinclausz,** *Histoire de Bourgogne,* Slatkine, 1924 réédité en 1987.

• **Eliane Lochot,** *Beaune à la fin de l'Ancien Régime. Les Réalisations municipales,* ville de Beaune, 1988.

• **Jules Marc,** *L'Avènement du chancelier Rolin,* Librairie Nourry, Dijon, 1906.

• **Roland de Narbonne,** *L'Hôtel-Dieu de Beaune,* S.E.R., 1992.

• **Roland de Narbonne,** *Beaune, visite de la ville,* S.E.R., 1990.

• **Ouvrage collectif,** *La Bonne Etoile des Rolin,* Typoffset Impressions, Autun, 1994.

• **Georges Pertuiset,** *La Côte de Beaune,* Quintette, 1995.

• **Arsène Périer,** *Un chancelier au XVe siècle : Nicolas Rolin,* Plon, 1904.

• **Lucien Perriaux,** *Histoire de Beaune et du pays beaunois, des origines préhistoriques au XIIIe siècle,* Presses universitaires de France, 1974.

• **Edmond Quantin,** *L'Hôtel-Dieu de Beaune, description sommaire,* Imprimerie Arthur Batault, Beaune, 1900.

• *Regards sur les manuscrits d'Autun (VIe - XVIIIe siècle),* Ville d'Autun, 1995.

• **Guy Renaud,** *L'Hôtel-Dieu de Beaune,* Editions du Bien Public, 1990.

• **Jean Richard,** *Histoire de la Bourgogne,* Privat, 1984.

• **Vincent Rougeot** *Les Sœurs hospitalières de Beaune (1789-1905),* Université Lyon 2, 1993.

• *Splendeurs de la cour de Bourgogne, récits et chroniques,* Editions Robert Laffont, 1995.

• **Guy Thierry,** *Dans mon village on a aussi de beaux assassinats,* Editions du Bien Public.

• **A. Thorval,** *L'Ecole de viticulture de Beaune, 1884-1984,* Lycée viticole de Beaune, 1984.

• **Jacques Trillaud,** *Les Chevaliers de l'ordre du Temple en Bourgogne.* Editions du Bien Public, 1991.

• **Jacques Vinceneux,** *Beaunois de jadis,* tome 2, Centre beaunois d'études historiques, 1993.

• *Félix Ziem,* musée des Beaux-Arts de Beaune, 1994.

• Cet ouvrage a bénéficié des informations contenues dans les nombreuses publications et bulletins édités par les précieuses sociétés locales : **Centre beaunois d'études historiques, Société d'histoire et d'archéologie de Beaune, Amis du vieux Beaune, Amis des remparts, Amis de la collégiale Notre-Dame, Société des amis de Marey.**

Remerciements

Les auteurs remercient tout particulièrement **MM. Antoine Jacquet**, directeur des Hospices de Beaune,
Pascal Bacher, responsable de l'Hôtel-Dieu, ainsi que **les guides de l'Hôtel-Dieu**
pour leur précieux concours apporté à la réalisation de la première partie de l'ouvrage.

Sincères remerciements, également, à Mme **Gillette Gruère**, pour sa connaissance de la ville
et son précieux apport bibliographique ; à Mme **Eliane Lochot**, archiviste de la ville de Beaune,
pour ses conseils historiques avisés.

Tous nos encouragements vont aussi aux infatigables acteurs du tourisme beaunois :
**Mme Marie-Thérèse Garcin, M. Bruno Vaivrand, Mme Chantal Leroux, les guides, l'ensemble du personnel
de l'Office de tourisme dirigé par M. Guillaume Boutefeu, le personnel des musées de Beaune, etc.**
Merci au **lycée viticole de Beaune** et aux différentes institutions de la vigne et du vin (**BIVB, Syndicat
des négociants, Association des viticulteurs...**), pour leur sens de l'accueil.
Merci enfin, à celles et à ceux qui nous ont permis de progresser dans notre travail,
à tous ces chercheurs, érudits, et historiens passionnés qui composent
et animent bénévolement le paysage associatif de Beaune.

Dépot légal Juin 1996
1re édition

Imprimé par Tiber / Brescia
Conception graphique : David Renoux
Editing : Michèle Fillias
Photogravure : Publi Compo

ISBN -2-84283-00-8

Bourgogne Magazine - 17, boulevard Clemenceau - BP67 - 21072 Dijon
Editions du Parcours - 5, rue Pierre-le-Vénérable - 63000 Clermont-Ferrand